INK INK INK INK INK INK I
K INK INK INK INK INK IN
INK INK INK INK INK INK I
K INK INK INK INK INK IN
INK INK INK INK INK INK I
K INK INK INK INK INK IN
INK INK INK INK INK INK I
K INK INK INK INK INK IN
INK INK INK INK INK INK I
K INK INK INK INK INK IN
INK INK INK INK INK INK I
K INK INK INK INK INK IN
INK INK INK INK INK INK I
K INK INK INK INK INK IN
INK INK INK INK INK INK I
K INK INK INK INK INK IN
INK INK INK INK INK INK I
K INK INK INK INK INK IN
INK INK INK INK INK INK I
K INK INK INK INK INK IN
INK INK INK INK INK INK I
K INK INK INK INK INK IN
INK INK INK INK INK INK I
K INK INK INK INK INK IN

INK

文學叢書

183

經典，可以這樣讀

于丹
易中天◎著

目次

卷四　爲人生尋找座標

卷五　歷史裡的人性

【序一】

讓經典成爲我們的心靈發動機

張曉卿
（香港明報集團主席、《亞洲週刊》社長）

有幸一睹名家風采，傾聽名家教言，乃人生的一件樂事。我們除了分享名家的創作經驗和人生閱歷之外，也將從中獲取他們對文化充滿樂觀的信心，並爲千萬的讀者開拓心靈的新境界。在文化的氛圍中，我們追求的是一種內在和永恆的價值。一個社會存在的可貴，不在繁華的外表，而在於創造出一種屬於自己的文化，或民族性格。

易中天的《品三國》和于丹的《〈論語〉心得》、《〈莊子〉心得》，見證了當前中華經典普及化的熱潮。重新認識經典，其實並不是只爲了走回從前，還是爲了要走向未來。要準確認識中華民族的傳統智慧，我們才可以擁有未來的智慧。

易中天和于丹，都是經典靈感海洋中的探索者，讓我們發現那些被偏見迷霧所掩蓋的文化眞貌，發現中華民族的文化基因，也發現我們在二十一世紀的新旅程和新方向。

我們感謝于丹和易中天爲中華經典的普及化做出的巨大貢獻，他們啓動了全球華人對經典的重新思考。他們都用自己的生命激情，去爲經典做出了更豐富、更多彩多姿的詮釋，提供了更多的「附加值」，也刺激了更多的人去擁抱經典。浩瀚的經典不再受限於「定於一」的一元化詮釋，而是面向「百花齊放」的多元格局。格局決定了結局。讓這些被重新發現的經典，成爲我們生活中一座又一座的心靈發動機，啓動我們的想像力，也啓動我們的創造力。

建構中華民族的美好遠景，並不能單靠經濟力量來支撐，還必須在文化思想的深遠層面上不斷地反思、探索、創造或再創造，從中尋找更豐盛的養分，以便與經濟前進的列車並駕齊驅。但願各位學者對中華經典的探索、研究成果以及所引發的思潮，能普及並深入全球華人世界，啓發文化新思維，促生更多的文化創造力。

【序二】

他們點燃文化的火炬

邱立本
（《亞洲週刊》總編輯）

「歷史超男」易中天教授和「國學超女」于丹教授，兩位文化明星同台出現是空前的，他們是第一次聯手普及中國傳統文化和經典，更是第一次聯手著述。大家都期待這兩位的相遇會有化學作用出現，能夠擦出智慧火花，用他們的智慧和妙語，點燃我們文化的火炬，來照亮我們文化的版圖。

《論語》和「三國」，《論語》可以說是廟堂的，是道德理想國；「三國」可以說是江湖的，是很重權謀之術的。但是這兩個經典，無論是眞實的還是想像中的，都在我們歷史上有很重要的位置。兩種不同年代的經典，從江湖到廟堂，都發揮著巨大的影響力。

易中天、于丹和大家談的並不只是學問，他們是在用整個生命的溫度去感受千百年以來整個中國經典的溫度。正如易中天教授所說：「我講歷史的方式可以總結成四句話：以故事說人物，以人物說歷史，以歷史說文化，以文化說人性，最後落腳在人性上。」所以他們的表達方式，在我們過去的學術界、在知識界的談論裡面，是一種全新的表達方式。今天的我們，特別需要這樣在經典裡面尋找一種新的智慧。

回歸經典閱讀，回歸對經典的重新認識，是保持我們民族文化的最好方式，是喚醒我們深層歷史記憶的最好方式。我們目前有很多新的挑戰，也必須要回到從前，才能夠走向未來。易中天和于丹的出現，拉近了我們和傳統文化經典的距離，但我們閱讀的應該是經典，而非學術明星，正如于丹教授所說：「希望大家現在就忘掉我，回歸到對經典的研讀中。」

卷一

經典使我們心靈安頓

孔子不是文化人的專利，《論語》也不是高深學問，更不是象牙塔的專屬，它其實就是埋藏在我們心裡的一種基因、一種方式，需要我們每個人用生命、用體溫重新焐熱它、啓動它，讓它給我們一點生活經驗的分享，一點智慧的激盪，這就足夠了。

于丹・易中天

是否有能力看見我的心

于丹

《論語》到今天已經有兩千五六百年的時間了，它對於今天到底還有什麼樣的價值？我想「情懷」二字足以概括。如果我們不是搞學術研究的專業人士，我們就用不著像歷代書生皓首窮經那樣逐字逐句地去做它的注釋。那麼，我們今天怎麼去看待《論語》呢？

我們不能說它逐字逐句適用於今天的現實。《論語》在歷史上曾經作爲儒術，在罷黜百家之後被推爲獨尊之輩，這是政治；曾經作爲儒學，歷代那麼多的儒生把自己的一生埋進去，這是學問；也曾作爲儒教，和道、釋並呈廟堂之高。我們站在今天，我們生活在當下，這一切我都不去談。我想說的是，《論語》是一種文化基因，《論語》是一種生活方式，它在我們的生活中，可能隨時從心中被啓動、被喚醒。

我們很小的時候會受到一種教育，講我們要建立生命的覺悟。那麼，何謂「覺悟」？其實這是一個佛家語。我們回到最本初的字義看看，很有意思。覺字頭，下面一個看見的「見」；「悟」呢，是豎心加一個「吾」。所以，覺悟、覺悟，本初的含義就是「見我心」，也就是「是不是有能力看見了我的心」。在這樣一個媒體資訊很發達的時代，在網上，我們可以查到所有想要的資訊，了解這個世界已非難事。但是，「見我心」的能力，未必會因爲科技的發達而同步增長。

我們面對自己的時候，發現比過去更迷惑，因爲我們的生活更複雜了。我們比過去更艱難，因爲我們在複雜的生活中，可抉擇的東西更繁複。所以面對這一切的時候，我想，認知心靈，從古聖先賢那裡找到一點簡單眞理，作爲生活的依據，這就是我們今天重讀經典的意義和價値。

孔子的學生曾經問過孔夫子：「有一言而可以終身行之者乎？」您能告訴我一個字，讓我一輩子去遵守它嗎？老師告訴他，如果有這個字，這個字就是「恕」，寬恕的「恕」，當你寬容別人的時候，你知道自己有眞正的強者心態，這個時候自己也天寬地寬了。不想勉強別人的時候，我們可能會想起「己所不欲，勿施於人」。還有，當我們要錦上添花多做一步的時候，也許有一個理性的聲音提醒你說「過猶不及」，那麼「適可而止」吧。所有這些話，都耳熟能詳。

其實，今天我們如果行走在中國的農村，遇到那些目不識丁的老奶奶，她一輩子沒念過什麼書，但她仍然知道孔夫子。也就是說，孔子不是文化人的專利，《論語》也不是高深學問，更不是象牙塔的專屬，它其實就是埋藏在我們心裡的一種基因、一種方式，它需要我們每個人用生命、用體溫重新焐熱它、啓動它，讓它給我們一點生活經驗的分享，一點智慧的激盪，這就足夠了。

所以對我們來講，《論語》不是艱澀的，因爲我們不需要去系統解讀；《論語》也不是遙遠的，我們可以敬而近之，而不是敬而遠之。

眞正的經典永遠是樸素的，所謂「道不遠人」就是這個道理。這就是我想跟大家分享的《論語》。

易中天

其實《論語》本來就是一個草根的作品，因爲孔子這個人本來是一個民間學者，或者說民間思想家。他雖然也到官方去推銷他的思想，但是他的推銷好像是不太成功的，所以北京大學教授李零先生給自己寫的關於《論語》的書，就命名爲《喪家狗》，也就是說，當年的那個孔子也不過是條「喪家犬」而已，至於被供上了廟堂，那是後來的事情；而後來被供上廟堂的那個孔子已非當年那個「喪家」的孔子了。

《論語》一直到漢武帝獨尊儒術以後，才被供起來，這個時候孔子就有一個「家」了，他就開始有了封號，就有了什麼廟啊，有了他的店啊等等，但是直到東漢末年，我個人覺得讀《論語》的人還不太多。

曹操攬申韓之術，諸葛亮喜歡商鞅，這個時候儒術就與「百家」遭遇了。遭遇的結果是，從東漢末年到魏晉是儒學相對比較衰敗的時期，到了魏晉，也不是儒學的時代。實際上曹操也好，劉備、諸葛亮也好，包括孫權，他們要建立的政權，用陳寅恪先生的話說，就是「法家寒族之政權」。陳寅恪先生把曹操建立的政權叫「法家寒族之曹魏政權」，所以那個時候我估計是沒人讀《論語》的，即使有人悄悄地讀，也不一定有前途。他要等。要等多少年呢？要等三百六十九年，到了唐代，這玩意兒就有用了。自從隋文帝設科舉制度以後，到了唐代這個東西就非常有用了，但是你得非常有耐心，因爲要等三百六十九年，因爲魏晉南北朝就是三百六十九年。

于丹

要說到讀《論語》的用處，其實眞正悄悄讀的人不是爲了「有用」，因爲《論語》讀來以後，不一定是要延伸到一種社會功利的實現上，它可能就是一種道德撫慰，使人心安頓。

秦始皇焚書坑儒之後，爲什麼在夾壁牆中還能發現那些經典？有些人以生命爲代價留下這些經典的時候，他已經不是爲了對自己生命有用，可能僅僅是在倉皇亂世中的一種生命安頓。所以讀《論語》的人不會想到他要等三百六十九年，也不會知道後來還有個「唐」。就像《論語》開始寫的時候，也不知道後來有個「三分天下」。

易中天

有人將儒家視爲一種宗教，將孔子當做神一樣跪拜，將《論語》神格化，但《論語》卻說「子不語怪力亂神」。這種對孔子的崇拜是「怪力亂神」嗎？是不是有悖於孔子的思想？

我是不贊成把儒學說成儒教的，而且我不贊成把中國說成儒教的國家。中華民族是沒有宗教感的民族，也不知宗教爲何物。中國人有的是什麼？巫術傳統。我小時候經常在電線杆上看到字條，寫著「天皇皇，地皇皇，我家有個哭夜郎，過路君子念一遍，一覺睡到大天光」。這是什麼？這是典型的巫術，就是把它當咒語。中國古代，把《論語》當咒語的很可能有，把《論語》當聖經的，我個人認爲，眞沒有。現在經常有人問我，應該什麼時候開始讀《論語》？好像幾歲讀很重要，讀了哪幾章很重要，就好像要立竿見影，就好像要把自己搖身一變變成什麼人，骨子裡面、潛意識裡面都是巫術傾向。所以中國人是沒有宗教感的民族，中國自己也沒有宗教，就連道教也不是本土自然產生的，它是外來宗教進來以後，看到人家有宗教，咱也整一個，然後把老子啊莊子啊整出來弄。但是中國人有個什麼情結呢？就是聖人情結，中國人不崇拜眞正意義上的神，你看中國的神譜裡面，那些神都是人變的，大禹啊，或者後來姜子牙啊。一個人死了以後，如果他是對國家、民族有功勞的，他就是神；如果他是一般般、沒有貢獻的，像我這樣的，就是鬼——我說的那是死了之後啊。如果活著的時候就升天了，那叫仙；而活著的時候悟得了無上正等正覺的，那叫佛。這個神性是很清楚的，當然還有興妖作怪的，叫妖啊，怪啊，精啊，女的叫妖精，男的叫妖怪，那是另外一類，它是很清楚的。我們是實實在在的一個人，你崇拜它？

于丹

「子不語怪力亂神」，孔子爲什麼會被尊爲聖人？就是易老師說的這種實體崇拜、眞人崇拜，儒家本初的說法是「六合之外，聖人存而不論」。這個概念很好。比如說我們今天的生活當中，經常有人說到超驗的東西，說神神鬼鬼怎麼樣，我們對此大多持兩種態度：一種是跟著疑神疑鬼，篤信不移；另一種是斷然喝斥說不存在。但孔子有第三種態度，叫「存而不論」。實際上這是一種很理性的態度，他不會盲從或輕易否定，「六合之外」：我們這個世界以外的東西；「存而不論」：它有可能存在，但我不了解，我就不去討論。

學生問鬼神的事，孔子說：「未能事人，焉能事鬼？」人間事，對父母，對國君，對社會，該做的事你做好了嗎？你能做到敬事而信，把眼前的事都完成了嗎？這點事都還沒做好，你還能「事鬼」嗎？先不想了，你就活在當下。學生又問孔子，老師給我講講死亡是怎麼回事？孔子說：「未知生，焉知死？」你活明白了嗎？你知道這輩子該做什麼事了嗎？還沒弄明白吧？那就好好活著，先不用管死的事。

實際上這就是儒家的態度，它沒有斷然去否定神鬼的世界，只不過「子不語」。不討論，不一定是反對。所以我說的是一種文化心態，我覺得《論語》在今天的意義，重要的不是對文化基因的傳承，而在於一種文化態度的包容。也就是在一種文化態度上，很多我們不了解的、誤讀的、不同立場的東西，不要立刻拉出來，一棒子打死，用這樣的態度來證明那就是謬誤。

這個世界上有多少絕對的眞理和謬誤呢？有很多時候是審視的角度不同而已，我們所認識的這個世界或者某種學說，往往有如盲人摸象，摸到耳朵的人說我確實摸到象了，牠長得就像扇子；摸到尾巴的人說我也確實摸到象了，牠長得就像繩子；摸到象腿的人說牠就像柱子；摸到象身的人說牠就像堵牆。你能說他們誰摸到的不是眞象？最後四個人打起來了。其實這四個人如果不打，眞正進行溝通的話，就無限接近於一頭眞象了。

所以今天我們追究世界的眞相，就應該具有這種不了解時不武斷的態度，可以存而不論，你可以不去討論，你可以說你自己擅長的那個部分，然後大家匯合起來。所以，「子不語怪力亂神」並不一定是孔子說不存在或是怎樣。

其實我覺得很多儒家的東西後來被大家認爲是唯我獨尊的，要罷黜百家的，這並不是它最本初的意思，它最本初的意思應該是謙遜的、寬厚的，所以它說一言行之終生，行之天下，就是一個「恕」字，爲什麼非得較勁不可呢？

中國人在死亡面前的態度是什麼呢？我覺得是六個字：不怕死，不找死。所謂「不怕死」，是說死亡是生命的另一種形式，你要坦然接受，不要有太多的畏懼；再說「不找死」，在歷史上，相對於西方來講，中國自殺的人是比較少的。屈原是一個激烈的代表，因爲他是殉國，他是楚之同姓，他宗廟沒有了，郢都已經被攻破屠城了，他是一個很極端個別的例子，你看整個中國的歷史上，文人採取這種激烈決絕方式的多嗎？很少。所以呢，中國人是很樂生的，既不怕死也不找死，當死亡沒有來臨的時候，就好好地事人，不去論這些個世外的「世界」，這就是中國人對待死亡的基本態度。

不要誤讀君子

于丹

孔子一生二事：一個是教書育人、為人師表；另一個就是奔走列國，推銷他的為政理想、政治主張。兩件事，一件大獲成功，傳載千秋萬代；一件困厄沮喪，惶惶如喪家之犬，這說明什麼呢？說明一開始諸子百家的思想都是雜糅的，它裡面有實踐層次的，有意識形態的，有針對政治統治的，也有針對哲學探討的。

先秦時候的文史哲不分家，就是因為它氣質雜糅，最初中國的文化還沒有明確分支的時候，就是這樣一個狀態。孔子政治上的失敗其實成就了他純粹的哲學探索跟他的人格理想，所以在今天，我做的這種心得闡發，更看重的是他對每個人內心道德定位的提升，也就是所謂的「吾日三省吾身」，扣問內心的反省。孔子說做人要做君子，什麼叫君子？

「君子」二字的含義，我們每個人寫一個答案的話，我想每個人的解釋都不一樣。但是孔子那時候，司馬牛去問他，什麼叫君子，孔子的解釋特別簡單，就四個字，叫「不憂不懼」，就是內心不憂思、不恐懼。學生不以爲然，說：「不憂不懼，斯謂之君子已乎？」這就能叫君子了？好像太簡單了吧？於是老師說：「內省不疚，夫何憂何懼？」一個人叩問自己的心靈去反省的時候，上不愧蒼天，下不愧子女，那麼他內心有什麼憂、有什麼懼呢？也就是說，一個眞君子，他的內心坦坦蕩蕩，沒有戚戚之懷，認認眞眞活在當下，盡心做好每一件事情，如此而已。

易中天

是這樣的，君子和小人的區別是有兩個層面的，或者說兩種概念。一種概念是等級概念，或者說階級的概念。嚴格來講，如錢穆先生所說，中國古代沒有階級，只有等級。君子和小人一開始是有等級的。一個人爲什麼叫君子呢？實際上是君之子，就像公子，公之子，實際上是這樣來的。

歷史上，西周以來是宗法制。宗法制有大宗，有小宗；嫡長子所代表的這一系，叫嫡系，也叫正宗、大宗。什麼叫嫡長子？就是正妻所生的第一個兒子——正妻所生叫嫡，第一個兒子叫長，合起來叫嫡長子。大家都說中國的古代是一夫多妻制，這是不對的，實際上是一夫一妻多妾制。妻是只有一個的，妻才是嫡，妻之子才是嫡子。嫡子做什麼呢？嫡子做君，在家做家君，在國裡面就是做國君，那麼在天下，他就是天子了，或下一任的天子了。嫡長子就是君子。那麼剩下的庶子分成的宗就是小宗，小宗之人叫小人。

所以最早是這樣一個概念，家君之子爲君子，小宗之人爲小人，君子和小人的區別是等級概念上面的區別。但是隨著階級分化的時間越來越長，老在上面的，老是正統的，繼承的精神財富和物質財富都多，他的品位肯定就高起來了。他的品格、修養、受教育條件，都和小宗之人不一樣，他就越來越有修養，越來越有品德，越來越有品位，最後君子和小人由等級變成了品級。這個品級包括兩個方面，一個是道德品級，一個是審美品級。按照當時孔子他們的理解，君子必須是出身高貴、道德高尚、品位高雅的。

于丹

這個審美趣味的延伸，到了魏晉的時候尤其明顯。到了那個時候，九品中正制出現，就是上上品、上中品、上下品、中上品、中中品……這樣一直排下來，排成了九品。下品和上品之間、寒門和士族之間的等級差別越來越明顯。

其實在那個時候，原來那種政治權力跟社會地位的劃分，更多的開始轉移，出現了很多的審美經驗。所以這個概念在使用的過程中，有一種約定俗成的潛移默化，逐漸變成每個人心中的一種指代，但是它本初的含義就變了。

我一直在想，我們的文化、歷史上，長久以來存在著簡單的「二分法」、「二元論」、「形而上」、「概念化」，我們習慣的教育就是非黑即白，非此即彼，非男即女，非對即錯。我們兩個人非男即女是對的，但你不能說全世界非男即女就一定是對的。

也就是說，這個世界上其實不存在簡單的黑與白，更多的是中間的灰色地帶，是從淺灰到深灰的漸變。我們的文化形態不應該把「一元化」作爲它強大的標誌，多元共生才是一種眞正健康的狀態。所以，我們的文化怎麼樣的狀態是最好的？就是它仍然能拓展，能吸納，能發展，能包容。

從這個意義上來講，《論語》到今天爲什麼能活著，是因爲它仍有很多生生不息的元素在我們身上體現；「三國」爲什麼能在今天作爲電子遊戲被那麼多小孩子喜歡，說明作爲一個概念大家仍然喜歡它。所以我認爲不存在哪一方和哪一方嚴重的衝突，那其實都是我們的生活方式。

易中天

一個和諧的社會就是君子能夠獨善其身，小人也能夠自得其樂。這裡的小人不等於卑鄙者，我指的小人是普通人、平常人、正常人。

我們中國道德評價有個很壞的東西，就是一定要把人分成好人與壞人、善與惡。我贊同妳剛說的那個「中間地帶」。其實君子與小人都處於中間地帶。兩端是什麼呢？兩端最高的那個是聖人，聖人的等級比君子高，最低的那端是惡人，聖人和惡人是極少數極少數。大量的是中間地帶的普通人、尋常人。那麼這種中間地帶的人就有兩種選擇，其中一種是去讀《論語》，把自己變成一個君子——君子只能獨善其身，我是這樣理解的。

但是我發現社會中有一些以君子自居的人，老要對別人進行道德譴責。他以道德高尚者自居，自稱是有道德潔癖的人、是道德完美的人。這種人其實跟恐怖分子只有一步之遙。一部分人可以做君子，他可以獨善其身，如果你自律，那麼有些不道德的事你可以不做，一些品位低下的舉動你可以不做。你自律是可以的，但是你要知道大多數人是小人，是普通人。

我有尋常的七情六欲，我也要犯點錯誤，甚至我可以幹一些大家認爲不太那個的事情。我認爲一個眞正的、健康的、民主的、法制的、人權的社會，小人一定有自己的生存空間。他能夠自得其樂，因爲在法制社會你不能妨礙、傷害別人的自由和權利。比方說，我在外面是個君子，我衣冠楚楚，那麼作爲一個小人我隨便一點，我回到家裡光著身子礙著誰了？

于丹

易老師這麼說，是把小人還原成一種很蓬勃健康的尋常人心態。

說完了小人，我這裡也要替君子說幾句話。大家不要把眞君子逼成僞君子。其實僞君子有兩種僞，一種是與道德不符，低於道德底線以下的僞；第二種是在公眾形象的壓力下被迫高於這個標準。這是另外一種不眞實。但是我爲什麼說公眾的約定俗成有可能成爲一種可怕的慣性？我們沒有必要把君子想像得不食人間煙火，在這個世界上，我們往往會因爲過分地提升一個東西的價值，而貶損它眞正的意義。

其實在我理解，君子也是一種很樸素、很坦蕩的人格，也就是說，君子之道爲什麼人人可爲？易老師說得對，君子之上是聖人，其實比君子更高一點，就是說更高一點的標準在《論語》中被表達爲「士」，就是知識分子，它要求「士」要弘毅，要以天下爲己任，要死而後已，但沒要求君子這樣。

君子是什麼？其實就是普通常人的生活規範。就我的理解，《論語》中的君子是非常簡單和樸素的。

首先，君子允許有過錯。孔子說君子「過，則勿憚改」，有了過錯，要勇於去改正。什麼叫「過」？錯而不改是所謂「過」。你先無意犯了錯，從主觀上堅持不去改這才叫做眞正的「過」。

孔子說，你看世間萬物，太陽輝煌吧，月亮皎潔吧，難道沒有日蝕和月蝕嗎？太陽和月亮被遮蔽的時候，人們是看得見的，等過去以後，它還在天上，人們照樣要仰望它。所以《論語》中說：「君子之過也，如日月之食焉。過也，人皆見之；更也，人皆仰之。」關鍵是君子不文過飾非。第一，允許錯；第二，允許改。這就是君子的過錯觀。

君子的態度，也就是孔子說的「仁」。「仁」是很簡單的，他說了五點，說這五點行之天下可為仁，也就是恭、寬、信、敏、惠。

君子的情懷，「病無能焉，不病人之不己知」，他怕的是自己沒有能耐，不怕別人不了解他，君子仍然是恭敬的、寬和的，不帶有那麼強的攻擊性。真君子，所謂「訥於言，敏於行」，用孔子的話說就是「先行其言，而後從之」，就是說，君子有一種寬和沉默，所謂「剛毅木訥近仁」嘛，一個人內心是剛毅的，但他的人可能不是善辯的，那麼，他做一件事的時候「先行其言」，把他要說的話先做到了，而後從之。

所以我說不要誤讀君子，我老覺得現在把君子提升到「士」，甚至「聖人」，太高了。其實孔子在他活著的時候並不知道自己是聖人，孔子心中的聖賢之境也是挺難達到的，高處不勝寒的。他的學生問，什麼叫仁？他說是「愛人」。然後學生問，是不是「博施於民而能濟眾」？孔子說，你說的這個境界，雖「堯舜其猶病諸」，堯帝、舜帝也做不到，我說的「仁」，「己欲立而立人，己欲達而達人，能近取譬，可謂人之方也已。」每一個想讓自己樹立起來、想安身立命的人，他必須先用這樣的心樹立別人，每一個自己想發達的人，他也必須用這樣的心幫別人發達，將心比心，在最近的地方幫大家把事情做了，這就是仁義的方法。

所以君子是一個樸素的概念，這是我要說的第二句。第一句是君子可以有過錯；第二，君子很恭敬，很寬和，很樸素。

第三，君子不是一生的標籤，君子不是墓誌銘，它是流動的。

我相信很難有人終其一生，他的言行舉止永遠那麼君子。《論語》裡還有一個詞，叫「君子不器」，就是眞君子他不追求一種固化的、確定的價值。不是說我現在是個杯子我就只能裝水，我現在是個桌子我只能托起其他的東西。君子是流動的、變化的。君子允許有彷徨、有困頓，君子也有不如意的地方。

其實孔子也曾經說過，富貴如果可求，雖「執鞭之士」我也願意去做。但是如果富貴不可求，不合於君子之道，違我心願的東西我就不願意做了。

所以我的理解就是，君子是流動的、變化的，是生命成長過程中人心裡一種人性的善意，是一種根性，隨時可以以一種自省的方式去喚醒。但君子不是聖賢，君子不能因爲被仰視而被疏遠。我相信君子作爲一種基因，在我們每一個日常生活場景中都能遇得到，都能得到喚醒，這就是我理解的君子。

數英雄，誰是英雄

于丹

說完了君子，我們再來說說英雄，這是另一種層面的東西。君子是相對於內心而言的，而英雄則是相對於形象而言的。有很多歷史上的人物，他們不能算君子，但卻是英雄。英雄是作爲一種道德評價而存在的。

例如紅臉的關公、白臉的曹操，他們的形象是在民間傳說中慢慢形成的，是在中國的戲曲舞台上，按人心中的理想勾勒的一副臉譜。易老師在《百家講壇》上說的曹操，他出生的時代經歷了四百年亂世，「魏武揮鞭」就整個終結了，他是一個大定天下的人物。這樣一個人物，應該說他是一個成功的政治家，而且他那樣求賢若渴、招賢納士、平定天下，這是他的情懷。可是爲什麼在戲曲舞台上，他的臉譜永遠改不了，永遠就是代表奸邪的白臉呢？

而關公這個人眞正站起來了，關公的髯口、紅臉，一切扮相在各個戲曲中都不會變。關公的單刀赴會，那在崑曲裡面有一句，就是關公一捋鬍口，在船上叫周倉：你看這下面是什麼？周倉說是長江。他說這哪裡是長江，這是二十年滾滾不盡的英雄血。

關公這個人永遠作爲一個忠勇的形象出現，這是爲什麼呢？仁義忠勇都不是停留在文字概念上的，它一定要有某種外化，要兌現在某個人身上，而這種仁義忠勇是一種道德評價，道德評價和歷史評價很多時候會出現一種「二元悖反」。

關於英雄的故事不是從曹操、關公開始的，我們想更早的時候，刺秦的故事，張藝謀拍過《英雄》，陳凱歌拍過《刺秦》，周曉文也曾經拍過，這麼多導演爲什麼要把這麼一個兩千多年前的故事來回拍？就是因爲這裡面沒有哪一個是英雄、哪一個是小人，其實這裡面可以說是兩個不同立場的英雄的較量。

秦始皇萬古一帝，平定天下，統一六國，如果沒有他，沒有西元前兩百二十一年這樣一個歷史座標的話，我們無法想像這兩千多年我們會有什麼樣的變動，歷史會走出什麼樣的一個境遇。所以說這樣一個人，萬古一帝，在歷史評價上，是一個座標。而荊軻是什麼？那樣的一種風蕭蕭兮易水寒，英雄一去不返，高漸離悲筑，樊於期可以把人頭給他作爲託付，這是一種道德的承載，這是一種道德評價上的眞英雄。所以兩個英雄之間的較量是分不出勝負的，這是一個歷史的悲劇。老百姓的心中，荊軻永遠帶著這「蕭蕭易水」活在人心裡，而歷史上，秦始皇的名字就寫在里程碑上。

再往後走，是楚漢之爭。我們看到的劉邦和項羽是什麼樣呢？且不要說民間的評價，看一看司馬遷是怎麼寫的。我們今天寫著漢字，說著漢語，叫著漢族，我們從大漢秉承了多少東西？但是漢高祖劉邦在民間的道德評價中受尊敬嗎？說到出身，他是一個亭長，幹的那些事，大家覺得他幾近無賴。但史書上記載，劉邦自己說我不善將兵，但我善將將。他說，你看項羽這個人，他那麼仁愛忠勇，但是他只有一個亞父范增，還不能人盡其用，我之所以能戰勝他，就是因爲能用人。讓人感覺就是這人啥都幹不了，只好讓他當領導！

所以你說項羽這個人到底怎麼樣？從他個人的那種品德，那種忠勇，方方面面的評價都高於劉邦，但這個人在整個歷史上是慘敗的；可是在今天的戲曲舞台上，演西楚霸王的戲有很多，從電影到流行歌曲都有表現，怎麼就沒有幾個人唱劉邦呢？就是誰都不喜歡他，說他打仗打到最後，項羽把他爸爸給抓住了，他說咱倆是結拜兄弟，你要非把我爸爸給烹了的話，別忘了分我一杯羹；說他被圍在城裡不行了，然後大將紀信帶著城裡的女眷披著鎧甲出去了，他帶著幾個人從後門跑了，最後女眷全都死了……說的都是劉邦這些方面的事，這是爲什麼？這是老百姓的道德評價，也就是說，秦始皇、漢高祖，中國的鼎盛時代之君，未必是在道德評價中活得最久遠的人。

一個荊軻，當場刺秦不果，就死在金殿之上了；一個西楚霸王，最後的結局也是很慘的，從三千子弟兵起家，後來號稱大軍百萬，而最後垓下之圍被五千漢軍菁英給追得只剩二十八騎，就這麼點人，到最後死在烏江邊。

爲什麼這樣的故事能傳下來？因爲他們的死在民間的情感傾向中極盡輝煌。易老師說孔子是一個草根的學者，我認爲司馬遷的筆法其實也很草根，別看他是史官，他寫的絕對不是一個史官的筆法，這一點上他肯定不如班固，他寫的眞是小說家筆法。他寫垓下之圍是怎麼寫的？只剩二十八騎的時候，項羽親自清點人數，按照兵法給分了四陣，其實一隊也就七個人了，然後跟大家說「願爲諸君快戰」，我願意和諸位痛痛快快打一仗，潰圍、斬將、刈旗，殺出重圍，斬殺敵將，砍倒敵人的軍旗，其實這就是氣概。你要說潰圍，就是逃生，可以理解，你爲什麼還要拚性命去斬將呢？

你說斬將是作秀吧，最作秀的是刈旗啊，我非要把你對方的旗幟給拔了，這是氣概。結果殺出去，眞是潰圍、斬將、刈旗他都做到了。他一呼直下，然後這四隊人就衝出去，約在東山，大家再會合。一場廝殺讓漢軍損失幾百人，他們會合的時候，僅損二騎，出來二十六個人，這二十幾個人繼續廝殺，退，退到江邊一看，眞的能走了，人家烏江亭長就說：「我就這麼一條船，把你渡過去，江東還是會以你爲王的。」項羽一看，命肯定是可以保了，已經證明我可以出來之後，這條命我卻不要了，這就是英雄。

這就是司馬遷想要表達的。生命是什麼？生命其實和尊嚴、榮譽相關，如果是苟且偷來的一條命，我不要了，這就揮灑了。所以他告訴最後這點人，全都下馬——自己的這匹烏騅寶馬，送給亭長，說牠跟了我五年，身經七十餘戰，不忍殺之，我送給你了——然後每一個人拿著短刃出去廝殺。項羽廝殺到最後的時候，他的氣勢是什麼？赤泉侯楊喜過來的時候，項王瞠目一叱，赤泉侯「人馬俱驚，辟易數里」，全都驚了；到最後他又殺了數百人，殺得厭了，不想殺了，突然看見自己過去的一個舊部呂馬童，他擦擦臉上的血說，你不是我的故人嗎？不是聽說得我項上人頭可以封侯嗎？我送你人情了，這顆人頭我送給你了，然後自刎而死。

這就是老百姓情感中的英雄，英雄的生命可以堅持、可以放棄。但堅持不是因為別人的慫恿，放棄也絕不死在敵人的劍下。其實，這裡面有一種貧窮困頓乃至死亡都不能剝奪的驕傲，這就叫「不以成敗論英雄」。

所以，為什麼民間的觀點中關公永遠忠勇？為什麼項羽就是一個霸王蓋世？其實這就是道德評價上給他們的一個支撐。

易中天

關公在民間受到崇敬，是因為他是一個俠義之士。我認為關公不是大帥，他是大俠，他還有一點小孩子氣，非常重視人家怎麼看他。比方說，當時劉備當了漢中王以後封將，封四個將軍。順便說一句，五虎上將在歷史上是沒有的，這是羅貫中封的，劉備沒有封五虎上將；當然羅貫中封五虎上將也有一點根據，就是陳壽的《三國志》把這五個人合成一傳。那劉備封的四個將軍是誰呢？前將軍關羽，右將軍張飛，左將軍馬超，後將軍黃忠，沒有趙雲。趙雲終其一生都沒有當上名號將軍。可能有人會很憤怒地說，你爲什麼要貶低趙雲，趙雲明明是五虎上將。我說，我說的是歷史。

事實上，歷史上的趙雲的確是沒有封的，只封了這四個人。封的時候諸葛亮就跟劉備說這肯定不行，關羽肯定要跳起來，因爲關羽覺得他是No.1，加封一個張飛勉強可以接受；再封一個馬超，因爲馬超地位高，是從別的陣營過來的，當時官銜就很高，出身又高貴，勉強還可以同意；但是怎麼還能有黃忠？諸葛亮說這肯定不行。

劉備說我有辦法，就派了一個叫費詩的人去給關羽送委任狀。費詩去了以後，果然關羽就跳起來了，說我大丈夫怎麼可以跟一個老「丘八」（兵）同列？意思就是說我堂堂大將軍，這黃忠就是一個兵，讓我跟他站在一塊，不接受。費詩就說，君侯想清楚了，你想一想主公封黃忠的原因：黃忠他剛剛立了大功，他又是從別的陣營過來的，搞搞統戰嘛。但你要搞清楚，搞統戰和咱們自己不是一回事兒啊，主公心裡肯定是裝著君侯你的，黃忠的地位怎麼能跟您比呢？當然君侯如果一定不接受封爵，我也沒辦法，我就回去啦。這下子，關羽趕緊說，回來回來，我接受了。

這是一件事。還有就是馬超來投奔劉備的時候，關羽得到消息，馬上寫了封信給諸葛亮說，軍師您作個證，讓關某和馬超ＰＫ一下。諸葛亮回封信說，馬超啊，確實是傑出的人才，但是和美髯公你比起來嘛，美髯公是冠絕天下啊。所有的人都知道，關公其實有點像小孩子的脾氣，得順著毛捋，非常可愛。

其實關公也有愛情故事。他曾經看上呂布那邊的一個女人，就是呂布一個手下的妻子。當時劉備投靠了曹操，曹操要劉備、關羽、張飛去打呂布。當時關羽就跟曹操講價，說我要把呂布打敗了，呂布手下那人的老婆歸我，曹操說可以。關公這個人做事有點死心眼，他老是去提醒曹操，過一會兒就說，我們倆講好的啊，那個女人是歸我的啊。他提醒得多了，曹操這個賊他就想，我得去看看什麼樣的女人能把我們關公迷得這麼神魂顛倒啊。他一看，國色天香啊，算了，我要了吧。像這樣的歷史裡面的八卦，關羽在這裡面也是死心眼，也是愛美色，可是大家也不計較了，還是把他當作蓋世的英雄、忠義的象徵。

歷史有很多八卦的東西。羅貫中寫《三國演義》的時候，他的忠奸思想太重了，不會去八卦。如果讓周星馳來整的話，周星馳演關公肯定演的是一個八卦的關公，不定是什麼模樣呢。羅貫中非此即彼的觀念太重了，他老是忠啊奸啊，正啊邪啊，君子啊小人啊，紅臉啊白臉啊，他非得這樣，結果歷史上很多很生動的東西就沒有了。

于丹

過去很多人拍「三國」，現在很多人拍「三國」，將來還有人拍「三國」。如果要重拍，那麼「三國」的故事應該怎麼拍？

因爲我自己的本行就是影視傳媒的教育，搞策畫啊，寫劇本啊什麼的，所以我比較清楚。今天拍電影很重要的一點，就是抓住歷史和道德的悖論。也就是說，寫絕對的大忠大奸，按照羅貫中的那種寫法，已經過時了。到今天人們不會再去討論道德判斷這種一邊倒的東西，也就是說大家不希望在一個明確的道德判斷上再去加重它鮮明的色彩。其實在大家心中，以古代的公案小說爲例，最好看的是什麼？八個字，「其情可憫，其罪可誅」。「其情可憫」是感情的判斷，同情，無比的同情；「其罪可誅」是一個歷史的和法律的判斷，他就是犯罪，就是該殺。這樣的故事，能在人心中撕扯出千絲萬縷的疼痛，是最恆久的。一個電影的時長總是有限的，九十分鐘也罷，一百二十分鐘也罷，電影的最大效率不是影院燈光亮起的時候，不是滿堂掌聲或者哄堂而散，而是唏噓不已、意猶未盡的心理共鳴，這樣一種惆悵可能在心裡映照到了自己的生活。

易老師講的「三國」爲什麼大家會喜歡呢？就是這裡面有太多的經驗跟我們的現實生活和內心世界相關。敘事學上有一個規則，什麼樣的故事最恆久，它要符合兩點：第一，它在我們現有的經驗系統之外，是人們陌生的情景；第二，它能在現有的經驗系統中喚起深刻的共鳴，那就是熟悉的情趣，這種情趣我們都曾經體會過。極其陌生的情節和極其熟悉的情趣，在他人的故事裡演繹自己的悲歡，在他人的起承轉合裡面流著自己的眼淚。這就是道德和歷史的衝突，任何一個歷史故事的解讀都是當下的解讀。我覺得「三國」是一個很好的個案，直至今天還遠遠沒有拍透。

民間情感的固化是一股非常強大的力量。我們說到關公的時候，是一個多麼高大的形象，但我們說到曹操的時候，一提曹操就是一張大白臉。其實沒有幾個人眞正去讀《三國志》，以歷史理性去看他的出身、地位和功績。不用說去讀整部《曹操集》，就說讀一讀曹操的詩，讀一讀他那種幽燕老將的情懷，讀一讀他「東臨碣石，以觀滄海」的詩句，看到「日月之行，若出其中；星漢燦爛，若出其裡」，日月穿行，古今蒼生那樣一種襟懷；看一看「月明星稀，烏鵲南飛」的時節他那種悠悠的情懷。他在招募天下賢士的時候，「青青子衿，悠悠我心；但爲君故，沉吟至今」。這些東西大家都很少去讀，讀的是什麼呢？其實大家記住的是，從他對華佗到對楊修，他那種疑神疑鬼的性格，猜忌之下的濫殺無辜，甚至殺自己的功臣。這一路下來，曹操的這張臉是被民間情感的記憶一筆一筆給塗白的。關公這張臉也是一筆一筆給塗紅的，所以今天一提到關公，就是面如「重棗」，這顏色是不可能再改了。

民間情感的這種固化，有可能把歷史上的人物讀成兩張面孔，這種歷史與道德的衝突，會造成這樣的結果，實際上完全沒有衝突的也可能這樣。比如說李隆基這個人，在歷史上一個是作爲唐明皇的形象，一個是作爲唐玄宗的形象。如果我們去讀正史，那起碼的開元盛世，那樣的「憶昔開元全盛日，小邑尤藏萬家室」，歷經四十年的輝煌治世，這是唐玄宗的一個大功業，青史留名。只不過是天寶十四年以後出了「安史之亂」，但是造成安史之亂的最重要原因——藩鎮割據，也不是到他這裡才出現的。所以你會看到，李隆基在歷史上是個有作爲的皇帝。但是我們現在看到的唐明皇是什麼樣的？紅顏誤國，唐明皇就是一個多情天子，今天說起來，就是「七月七日長生殿，夜半無人私語時」，就是那樣一種「天長地久有時盡，此恨綿綿無絕期」。這都是文學上的描述。但有一點，民眾情感的血脈，最主要的是來自文學而不是歷史。這是一個有意思的現象，就是在道德與歷史的評價之間，在文學的演繹、情感的延伸與所謂「秉筆直書」、「不虛美，不隱惡」這樣一種史家筆法之間，其實是存在著巨大的斷層。

不較勁的心態

易中天

我老老實實、規規矩矩按照《三國志》的記載講「三國」，怎麼挨那麼多罵呢？因爲我顚覆了太多人固有的想法了。大家的想法都是文學的想法，都是《三國演義》的想法。這樣一來，一個歷史人物就有了三種形象：第一個是我講的歷史形象，第二個是文學形象，還有一個是民間形象，就是廟裡供著的那個關公。

我有個觀點，曹操和諸葛亮有驚人的相似，就連他們的官職也是一樣的，都是丞相；曹操封武平侯，諸葛亮封武鄉侯；曹操領冀州牧，諸葛亮領益州牧。而且他們當政的時候，他們的皇帝都是「橡皮圖章」，漢獻帝就不用說吧，這劉阿斗也沒什麼權力，這個《三國志》記載得很清楚，「政事無巨細，咸決於亮」，就是芝麻大的事都得諸葛亮拍板，但是爲什麼到後世，兩個人卻有了截然相反的舞台形象呢？說到底是人性的問題。我覺得，因爲人性本來就有兩面性，任何人都有善的一面，也有惡的一面，人性的善惡兩面是一枚硬幣的正反兩面，這個東西要投射到文學藝術當中去，然後被傳統的民間藝術臉譜化，然後分出了截然相反的兩個陣營，一方是紅臉的關公、一身正氣的諸葛亮；一方是白臉的曹操，賊眉鼠眼。

所以我們不能把民族的情感過於擴大化、分極化，我們的民眾要學會理智地對待歷史，當然更要理智地對待現實。曾經有一個學者在APEC（亞太經合組織）會議上看到所有國家領導人都穿唐裝的時候，他說，哎呀，二十一世紀肯定是中國的世紀了，你看他們都穿什麼衣服了。我說他們到菲律賓穿菲律賓的，到印度尼西亞穿印度尼西亞的，那二十一世紀是誰的世紀啊？現在連流行歌曲都大唱三國和中國話，像周杰倫啊，還有S.H.E.，是不是意味著中國文化正在、或即將統帥全球？反過來說，是不是說明中國人面臨著信心危機，需要借古人以服天下？用不著這麼小題大做，不就是唱唱歌、穿穿衣服嘛！既不意味著中華民族文化的偉大復興，也不意味著中國文化走向衰亡。

于丹

其實我很認同易老師這種心態，我把這種心態叫做「不較勁心態」，我覺得今天我們這個社會有很多東西過於較勁，但是較勁之後，就會適得其反。有個詞叫「局限」，什麼叫局限，有局才有限。我們老是人爲地做一個很小的局，然後爲其所限，那就是自己跟自己較勁。其實在個人生活中，我更喜歡莊子，我覺得我們不要過分地攻伐異端，不要過分地把一種莊嚴肅穆的東西變成我們的主旋律。「無爲而治」，有時候可以從無爲達到無不爲。我覺得一個人生命的成長，不能揠苗助長，要尊重人的性情；文化形態的局面也不要刻意去修建，一定要用什麼去打敗什麼，用什麼去取代什麼，就以一種審美的方式去看待，順其自然是最好的。

其實周杰倫的歌我非常喜歡，從最早的時候我就喜歡，周杰倫的歌我都很熟悉。大家可以看到二〇〇六年的樂壇，那是一個網路音樂的天下，專業歌手裡面只有第一沒有第二。銷量最好的就是周杰倫的《依然范特西》，在這張碟裡面，就收了很多很中國風的曲子，比如說大家很熟悉的〈菊花台〉，整個他的造型、他的詞，包括之前的〈東風破〉、〈髮如雪〉，方文山整個的創作，我覺得都是很中國意象的。但這種中國意象是非常時尚、非常前沿的。它其實是完成了對中國詩詞意象的解構，而不是結構。我們去寫格律詩的時候，是從一個平仄格局裡面去一點一點地完成七寶樓台的堆砌，但在周杰倫的歌裡面，在方文山的詞裡面，是做了一種情趣的解構，最後總會放上一點點中國音樂的造型元素。

我喜歡的中國文化是什麼呢？就比如現在的時裝設計，它可能會設計得非常時尚，但裡面有一點點中國元素在，有一點元素，中國文化就被啓動了。文化可以以各種各樣的方式成長，不一定非要端著面孔莊嚴肅穆地出來亮相，說我一定要在意識形態主流的位置上被大家尊重。非得要「罷黜百家、獨尊一種」之後它才是健康的嗎？眞正的健康就是被孩子們喜歡。比周杰倫還年輕的樂團——南拳媽媽在〈牡丹江〉裡唱道：「到不了的都叫做遠方，回不去的名字叫家鄉。」這句歌詞多深刻呀，是吧？其實這就是中國文化。

快樂的事才能融進生命

于丹

這種「不較勁心態」不僅體現在文化上，它更應該是個人的一種人格修養，也就是說，要順從人性，順從自己內心的眞實想法。

像我和易老師，我們都是性情中人。性情比學問重要得多。當然易老師學問比我好得多，這句話不是謙虛，認認眞眞。我跟易老師私下是好朋友，我們沒有覺得高山仰止，我尊重易老師的人生經歷，他比我多了一種東西，就是他生命中比我多一種苦難，他經歷過磨礪，我是從校園到校園的這麼一個成長過程，他有苦難。所以我覺得這個世界上，知識固然重要，比知識更重要的是經驗，比經驗更重要的是悟性。

其實在生命成長的過程中，一個人應該有他的生命激情，有他永不衰竭的理想主義，有他的職責承擔，這些東西比讀經典更重要，因爲讀得久不一定意味著讀得深。所以我說生命的「覺悟」，「覺」是一個瞬間，聽別人講看書的體會，都能怦然心動、醍醐灌頂；但「悟」是一個過程，終其一生。所以我覺得一個人的悟性最重要。

性情中人做的事就是興之所至，有興致的時候做一件你覺得快樂的事。快樂的事不計功利，但是它往往能融進生命。孔子那時候說「古之學者為己，今之學者為人」。「為己之學」是為生命快樂的學問，「為人之學」是為了寫文章、評職稱的學問。我們今天是「為人之學」太多，老是在問我到底什麼時候做合適，這是一種用腦子的生活。其實要是我說，忘記技巧，用心生活，簡簡單單，興之所至，生命放達。那最後活的這個境界是什麼，讀書就讀出陶淵明那種「泛覽周王傳，流觀山海圖。俯仰終宇宙，不樂復何如？」人生一大樂事就是，任情揮灑，無往不至。

易中天

我完全贊同于丹的話，但是我們倆的話僅供參考。為什麼呢？因為「為人之學」還是必須要有的，那麼多人要評職稱、要考試、要弄文憑、要找工作，你不能說不要他做呀。所以我還是說，君子獨善其身，小人自得其樂。

像我這樣一個「真小人」，我就特別能自得其樂，做一點我喜歡、我能做的事而已。閱讀經典就是一件興之所至的事情。什麼時候想讀什麼時候讀，從你想讀的那天開始。家長不要強迫孩子去讀，如果你作爲一個母親或父親感覺不幹點什麼就沒有盡責的話，那我給你一個建議，從懷孕那天開始讀，準爸爸在準媽媽耳朵旁邊讀《論語》好了呀。我教育孩子很簡單，從他自己想讀的那天開始。

于丹

經常有人問我怎麼看待現在的「于丹熱」，我覺得我同樣以一種謙遜的態度來對待。講《論語》本來就是我率性爲之的東西，就是本著我的快樂和眞誠做的事情，它在客觀上可能造成了另外一種效果，但是沒有必要說一開始非要刻意怎麼樣。

二十一世紀對我們來講是多元價值並存，從物質層面到精神層面，都出現了各種變化、掙扎，乃至斷層，我們經歷的就是這樣一個時代。就說和諧，與其說現在有和諧的氛圍，不如說人心中都在呼喚和諧。那麼和諧是什麼？《論語》裡面爲什麼講「和而不同」？因爲這種狀態很好，就是一方面鼓勵多元，「不同」就是每一個人有自己獨立的見解。「君子和而不同」，就是你要有自己獨立的價值觀、獨立的見地、獨立的稟賦；但是需要大家來共同做事的時候，需要觀點來協調的時候，也能「和」到一起。五味調和才是天下美饌，五彩調和才是天下景觀，五音調和才是至美音樂，沒有哪一種東西是單一的，它必須是在堅持不同之後的一種和諧。

當我們眞正進入社會之後，當我們被一個角色所規範，當我們追求一個名譽的時候，我們已經被束縛了。這個過程中，沒有別人可以解放自己，只有自己解救自己的心，釋放自己的魂，做到漠然無魂，一切一切已經自自然然了，到這樣的時候，天下的芸芸萬物，會各復其根的，因爲人不再矯情了，人不再強制了，去掉了所有的強制，這個世界會是一副蔥蘢的面貌。其實我們今天繁華的物質世界，不是不夠美好，而是這種美好有了太多人爲的痕跡和社會化的標準，也就是說，我們能夠貼近自然的地方，已經太少了。如果萬物可以各復其根的話，那麼天地之間「渾渾沌沌，終身不離。若彼知之，乃是離之。無問其名，無窺其情，物固自生」。這個世界上，一切都會自由生長，你不必去窺明它其中的道理，不必去追問，不必去計較，世界眞正的和諧其實就在這樣一些雜亂叢生之中，讓各種生命自然蓬勃，於是構成了天地和諧。

我們小時候做過一個試驗，一張白紙，畫七等分，塗上紅橙黃綠藍靛紫七種顏色。然後用鉛筆在中間一戳，「啪」地一轉，老師說你看到什麼了？我們認爲會是七彩混合旋轉得極其絢爛，但是轉起來才發現，是白色的。而這種白跟一張白紙的白是不同的，它是一種飛動之白、融合之白，各種光譜交融之後一種很高級的融合。其實我們現在的「和而不同」要的就是這樣一個東西。

我聽過一個小故事。有一次青蛙遇到蜈蚣，青蛙說你看我只有四條腿，我要是走的話，兩條前腿一撐，兩條後腿一使勁，我就往前蹦了，我這四條腿都有分工。牠說蜈蚣啊，你是百足之蟲，你往前走的時候最先邁的是哪條腿呢？蜈蚣聽牠一說，「咔嚓」就停在那兒了，然後蜈蚣很沮喪地跟青蛙說，我勸你以後永遠不要問任何一條蜈蚣這個問題，你只要一問，牠一定就卡在那兒了。

其實這多像我們的生活！我們的生活大家理出頭緒想一想，只會比蜈蚣多，不會比蜈蚣少的，你的生活，你的工作，你的交友，從老人到孩子這一切一切，當它順理成章成爲你的生活的時候，我們是不能過多思考的。大家都知道這句話，叫做「人類一思考，上帝就發笑」。我們一思考，我們的日子就會像蜈蚣一樣，就卡在那兒了，我們就運行不下去了。這是因爲我們違背了一種順其自然的眞實，所以莊子說「有大物者，不可以物」，也就是說，在這個世界上，把眞正的物質當成物質去役使，不要眞正地拘泥於這種物質，一定刻意想要怎麼樣去做，順乎自然，這一直是道家至極、根本的簡單觀點。

易中天

幸好我們兩個人不是蜈蚣，好在我們也不是青蛙。

做正常人就好

于丹

在生活中，我們不做青蛙，也不要做蜈蚣，只要做個正常人就好。

我在很多場合都被問到家庭，我不知道爲什麼大家這麼關心啊。大家關心我就說一句，我可以簡單地告訴大家，我對自己家庭的評價就是「很正常」。其實什麼叫正常呢？比如說有老人，跟媽媽住在一起，我有丈夫，我有孩子，我想我們中國絕大部分家庭都是這樣，有自己的長輩，有自己的伴侶，還有自己的孩子。其實在這個世界上，我們不必追求一個家庭多麼多麼完美，這個家庭有什麼什麼樣的傳奇，實際上最樸素的東西最恆久。我孩子出生的時候修正了我一個很大的觀念。其實每一個媽媽在孕育孩子的時候總在想，我希望我的孩子是最聰明的，希望我的孩子是最漂亮的，希望我的孩子是多麼多麼了不得，我要爲我的孩子做什麼，每天就像是揣著一個夢想。但是我的孩子生下來以後，帶她去做各種檢查，說一個孩子應該在多少公分到多少公分之間，說這個孩子正好居中，然後寫上「正常」兩個字。然後一個孩子什麼頭圍啊，胸圍啊，體重啊，各種東西它都有一個上限跟下限。我跟親戚曾經講過，生一個大胖孩子多驕傲啊！後來這孩子不算胖也不算瘦，正常。我看我的孩子的檢查表格上一片「正常」的時候，當時覺得很驕傲，她是一個正常的孩子。

其實「正常」是我們生活中最好的尺度。不要追求所謂的卓越、優秀，人的生命能量就這麼大，如果有哪個方面你表現得過分超常的話，一定有其他的方面低於正常。比如易老師說我「找不著北」（迷路、缺乏方向感），我說話說得很好，但是「找不著北」這件事是不可救藥的。我就在我住的酒店裡面已經走丟N多次，有時大家約好去吃飯，我就找不著了。

所以我說，人就是這樣，你可以亮出來你的長項，那你也得承認你生命中肯定是有短項的。每一個人都是這樣，沒有人是完美的，我小時候是個偏科的孩子，當我語文作文從小就寫得好得不得了的時候，我的數學就一塌糊塗，我從小學一年級開始就算錯應用題；不光是數學題，還有政治，我經常算出地主欠張大爺多少多少斤糧食，張大爺反過來剝削地主了，因爲乘和除多了，弄不清楚。實際上我可以很坦然地看到我缺乏數理邏輯，我缺乏方向感，我生活中有很多缺憾，這樣我覺得眞實，這才會讓我知道一個人必須要看到生活最樸素的東西是什麼。我覺得每個人在生活中都別想說「我是完美的」，完美太累了。我覺得最好的標準就是正常而健康。

所以，關於家庭，關於自己，我都告訴大家一個判斷，正常而健康。沒有太大的野心，沒有長久的規畫，一切順其自然、隨遇而安。其實我從小到大都是一個沒有規畫的人。如果一定要說出所謂規畫，我覺得我現在有兩個角色，一個是在學校做老師，這件事我打算一直做下去；然後在家裡做媽媽，我得帶好我的孩子。有可能進入我的人生規畫的就是這兩件事，我是認眞的。但是其他，我可能做什麼，可能不做什麼，都不敢說，但我想說，我做事情只有一個前提，那就是我enjoy的事情。那麼它可能會附帶來了一些價值，但是那個價值不在我預先考慮之列，我做讓我自己快樂的事情，做可以使我生命性情豁達、可以做到的事情。所以我又要說莊子的一句話，就是「知其不可奈何而安之若命」，就是所有那種很較勁的、一定要做什麼的事情我不做。比如中國文學史的這些詩派裡面，我不喜歡「郊寒島瘦」，你說「兩句三年得，一吟雙淚流」，我費那個勁幹麼呢？我還不如去放牛，是吧？作詩作成那樣！我覺得作詩就要像李白那樣，喝完酒以後，洋洋灑灑，倚馬可待。那樣你就去寫，因爲很快樂；如果說又推又敲，還得拈斷多少根鬍子，那這詩不作也罷。所以，生命就這麼長，無需較勁。我已經規畫了這麼兩個角色，一個職業角色，一個倫理角色，剩下的生命角色就隨著我的性情吧。做出來什麼，大家不用驚訝；什麼都不做，大家也不用驚訝。

卷二

《論語》、《莊子》裡的生活智慧

于丹

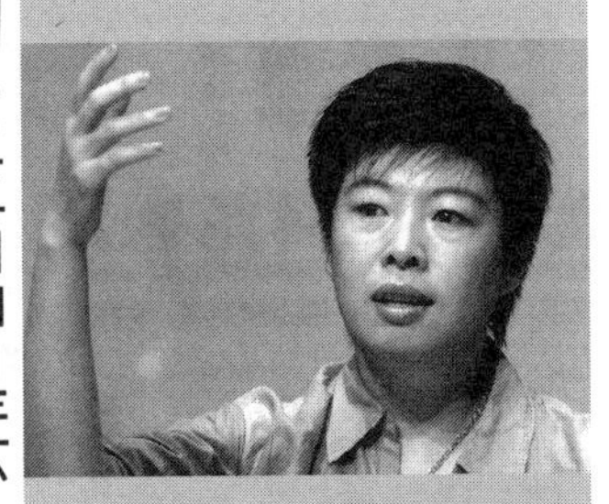

我們的生活，已經無比遼闊地向外拓展，但我們缺少一種內心的復歸。今天的科學技術日新月異，想知道的事情，用Google一搜，幾萬條就出來了。但我們卻沒有一個心靈的搜索引擎，不知道就在當下，就在此際，我們最真心想要的是什麼。

以生命的名義打通儒與道

講完《〈論語〉心得》和《〈莊子〉心得》後，我見過各式各樣的評價。我想，對於我個人來講，我的態度就是：人活在當下，就用心去做好一件事，至於做完以後的好壞評說就任由大家了。大家怎樣評說，我都接受，因爲我做的事情擺在那裡，任何事都可以從不同的角度去解讀，我永遠只能站在我本初的意思上去講我爲什麼要討論《論語》和《莊子》。

或許《莊子》相對《論語》來講，會小眾一點，大家對道家的理解沒有對儒家那麼廣泛。那麼爲什麼我要一起來講呢？我不是想做一個學理性的闡述，不是要講中國儒家學理體系和道家學理體系的區別，講它們在學術地位上的意義，我只是想說，作爲中國人，我們的血液之中都會有或儒或道的文化基因，它其實是我們生活的座標系，它提供了我們生命的參數。

一個人如何安身立命呢？我很喜歡《三五歷記》裡講述的盤古開天闢地的神話故事。如果是西方的神話故事，我們可能會看到盤古是一個神，用斧子把天地劈開，世界瞬間突變，絕對不是中國化的講述。中國化的講法是：天地之間是一團氣，混沌如雞子，盤古在其中與其共同成長，天日高一丈，地日厚一丈，盤古日長一丈，一共長了多少年呢？萬八千歲，天地開闢，陽清爲天，陰濁爲地，盤古在其中。經過這個成長以後，孕育起來的人有一個理想，被表述爲六個字：「神於天，聖於地」。所以神聖這個詞不是一個層面，而這「神於天，聖於地」，是中國人可以企及的最遼闊的人格。

「聖於地」，在土地上做一個聖賢，這就是儒家理想。儒家理想是給我們一種社會人格的自我實現。「士不可以不弘毅，任重而道遠。仁以爲己任，不亦重乎？死而後已，不亦遠乎？」作爲這樣一種擔當，在大地上行走，去擔當，去盡責，來完成士階層的使命，這種自我實現給了我們一個重任，這就是聖賢境界。

那麼，「神於天」是什麼？我的理解，是道家。莊子說，每一個「自我」都可以獨與天地精神共往來，一個「自我」雖然短暫、渺小，但是當天地與我共生、萬物與我合一的時候，我可以完成「乘物以遊心」、「磅礴萬物」的逍遙遊，其實這就是一種神仙翱翔的境界，所以，莊子教會我們的是一種生命角色上的自我超越。

如果說聖賢的境界教我們入世實現，那麼神仙的境界教我們出世去遨遊；如果說儒家教給我們在這個土地上去承擔重任，那麼道家教給我們的態度不是要忍辱負重，而是要舉重若輕，當我們生命輕揚瀟灑的時候，你照樣可以爲這個社會盡職盡責。所以我認爲，儒與道是中國人的一天一地，「神於天」的時候我們心思遠遊，「聖於地」的時候我們責任承擔。那麼，有了這樣的一進一出，一個人不至於因爲過分地飄遊而顯得不盡職，也不至於因爲過分地擔承重任而不堪重荷，缺少飛揚的力量。所以我經常想，生命的長度其實不在自己的手裡，短則五六十年，長則八九十年，總歸是人生不滿百；但是人就如同河流，究竟活成一條小溪或是一條河流，生命的寬度在自己手裡，寬度就在於我們把河床的兩岸打在哪裡。在我看來，一儒一道，天高地闊，我們可以在裡面找到一個生命座標。我其實不是站在學理的意義上解讀儒、道，我並不是在做一種唯「體」的研究，而是在做一種唯「用」的延伸。這只是一個普普通通的中國人的體會，用生命的名義就夠了。我們去觸摸經典，去分享智慧，給自己一個人生的界定，遨遊其間，那我想我們每個人至少可以活得寬廣一點。

有人說我喜莊厭孔，實際上我是喜莊不厭孔。其實，每一個人開始讀書的時候，都是從儒家進入的，儒可以讓我們在這塊土地上行走得穩健踏實，但是道家會給我們擺脫地心引力、向上飛揚的力量。我之所以更加喜歡莊子，是因爲他讓我覺得人的生命可以有一種任達的自由，可以有一種讓心靈飛揚的能力。但是我也並不厭孔，人在這世界上的審美就如同桃紅李白，各有其妙，可以樂山同時也可以樂水，人喜歡的東西都不是一元化的，只要你能從這個中間吸取自己喜歡的、對自己有價值、可延伸的東西。

就好比我讀唐詩，我喜歡杜甫，可以爲他的沉重而熱淚盈眶；但我更喜歡李白，我一樣可以為他的天眞而熱淚盈眶。也就是說，你的淚水可能是相同的，但令你感動的緣由可以各有不同。同樣的一種春花秋月，當這樣的一種古今徘徊，從歷史、從我們心中走過的時候，我覺得儒與道在我的生命中無法分家，無法準確地分出來哪一種是儒家的情懷，哪一種是道家的思想。在我看來，眞正的神聖都是殊途同歸的。比如說對於人生很高境遇的描述，儒家說，從年十五志於學，經過畢生的成長歷練，三十而立，四十而不惑，五十而知天命，六十而耳順，到七十歲從心所欲、不逾矩，這是兩個標準的內外合一。所謂「不逾矩」，是指我們在現實社會中，不超越規矩法度，不違背社會規則，不違背他人情感，這是一個好公民的規範，它是很外在的；但前四個字「從心所欲」，是一種個人的、獨立的、心靈的，它要求我們聽從心靈的聲音，跟從心靈指引的方向，去追求你生命的眞正價值。

芸芸眾生，大多數人只能在一個標準上做得很好，或者做到「不逾矩」，無非是日出而作，日落而息，一日三餐，娶妻生子，別人怎麼活，自己也怎麼活，是做到了「不逾矩」，但是自我已經泯滅了；或者另外一些人可能做到「從心所欲」，可能今天不合作、明天離家出走，這樣的人倒是活出了自我的性情，但同時傷了很多人，傷害了外在的規矩。

怎麼樣才能做到內外合一？這是要通過整個生命成長，不矯情，不刻意，大道天成，最後達到的一個境界。而這個境界在道家的表述中更簡單，只有五個字，就是莊子說的「外化內不化」。

所謂「外化」，就是融入規矩法度、順應人情世故；在外在，一個人越融合、越進入，他的生命就越有效率。而一個人的「內不化」，就是用生命恪守的那份信念；每一個人之所以爲「我」的本質，在於靈魂深處的反省與堅持。這樣的「外化」與「內不化」融爲一體，一個是內在生命，一個是外在生存，生生不息，你可以活得很好。這兩者不是殊途同歸嗎？

所以，包括我們經常所說的理想，我們說道家的「道法自然」，熱愛天地山川，「天地有大美而不言，四時有明法而不議，萬物有成理而不說」，讓你眞正在遊歷之中，達到心遊萬仞。

我們總覺得儒家是沉重的，它總是擔負著使命，要犧牲自我的。但是讀過《論語》的人都知道，幾個學生圍著孔子在那裡各言其志，子路說：「千乘之國，攝乎大國之間，加之以師旅，因之以饑饉。由也爲之，比及三年，可使有勇，且知方也。」一個擁有一千輛兵車的國家，夾在大國之間，內憂外患，國內鬧饑荒，國外還大軍壓境，我都能從容處理。這樣的理想能說不大嗎？但「夫子哂之」，孔夫子不以爲然。往後談理想的學生冉有、公西華就保守多了。冉有說，我不要那麼大的國家，再小點，「方六七十，如五六十」，就這麼大一個國家，我給它治好了，我讓老百姓吃飽肚子，禮儀的事不敢說了；公西華又縮一點，說人家祭祀的時候我做一個小司儀就可以了。孔子都不表首肯，最後到曾點了，在師兄們高談闊論的時候，他仍在彈琴，聽到老師提問，也沒有扔下琴、緊張失措地去應答，而是從從容容地說，我的理想和他們不一樣，無非是大家在一個暮春天氣裡，穿著薄薄的青衫，一幫朋友、若干學生到剛剛開凍的沂水裡，洗乾淨自己的頭髮，走上高高的舞雩台，沐浴著春風，踏青而歸，在歌聲中讓自己的心靈完成一個放飛的儀式。就這樣的一個理想，反而讓孔子嘆曰：「這也就是我的理想了。」

爲什麼會這樣？因爲儒也罷，道也罷，我們可以以一個名義打通，就是生命的名義。一個人無論爲社會做多少事，他必須是清醒的、有活力的、能快樂起來的。這樣的人，才可以使他的親朋好友，乃至於家國百姓都對他有一份信任和託付。如果一個人心靈是混亂的，身體是脆弱的，連自己的生命都無法擔承的話，何談家國大業？

所以我認爲，儒與道，在生命的名義下可以打通，永遠不矛盾；而且我也不認爲它們和我們遠隔千古，對於今天來講，我更不認爲它們的思想都是過時的。儘管文化的誕生，一定受當時歷史條件的局限、制約，很多思想在今天是不適用的；但是我想如果回到最樸素的生活層面，古人的心靈未必就比今人的心靈狹小，或者由於生產力不發達他的內心世界就一定沒有我們豐富。

就拿四季來說，夏天時，外面熱得要死，屋子裡有冷氣，要長衣長褲；冬天時屋子裡有暖氣，外面冰天雪地，屋子裡可以穿襯衣。物質的發達，讓我們可以輕而易舉地去享受簡易的生活；借助高科技，可以讓我們的生活更加舒服。但另一方面，正是由於這樣的一種改變，讓我們失去了感受春花秋月的能力，古人所謂「臨秋雲，神飛揚；沐春風，思浩蕩」那樣的一種四時穿越，在寒暑之間，用生命去感知，那樣的一種心靈敏銳，我們還有嗎？我們過去的中國文化，比如說古人彈琴，他要在山川之間，扶琴動操，欲令眾山皆曉；古人畫畫，用石濤的話說，要「吾寫此紙時，心入春江水；江花隨我開，江水隨我起」。

而今天，物質也造成了人的異化呀！物質的發達，讓我們的愉悅享受變得廉價，讓我們心靈飛揚的力量受到削減。所以我覺得去重新閱讀經典，不要把聖賢當作高高在上、用以頂禮膜拜的偶像，要把經典當作我們身邊最樸素、天眞、恆久、溫暖的生活方式。我們去觸摸它，其實豐富的是自己的感知和生命，這就是我對經典和聖賢的態度，敬而不畏，眞正的道理都是道不遠人的。

興之所至，隨處可及

道家精神有三個層面：道，法，術。相比較來說，我更喜歡心靈溝通的層面。其實我是一個反技巧主義者，我從來不信任任何的「術」。我覺得我們今天這個社會的一種悲哀，是運用腦子過的生活太多，用心過的生活太少，我們過於信任外在的規則和技巧，而忽略了一種誠意的自然表達。語言是什麼？無非是一種思想的載體，只要你的生命有著一種眞誠的熱情，你的語言，它不一定是澎湃的、華麗的，即使它是木訥的、簡約的，也能流露出眞實的意思。所以，在道家層次中，我最喜歡的也是它作爲哲學的層面，對生命的闡發，而不是作爲宗教的層面。

儒與道也一樣，不僅是道教，儒也曾經和道、和釋一樣，同居廟堂之高；也曾經作爲「罷黜百家」之後的儒術被放在統治術裡；也曾經作爲儒學，讓歷朝歷代書生爲之皓首窮經。所有的這些，今天的大多數人都不會感興趣，對於普通人來說，拋開學理，拋開學術研究，只在大眾文化權利的分享層面上，以生命的名義去觸及，就足夠了。人在接觸自己熱愛的事物之前，不能帶有太多的禮讚，這種尊敬之心，有的時候也是過猶不及的，你敬到了無法去觸摸、心中產生障礙的時候，對自己也是一種約束。

在今天這個社會，我們有太多太多可以依靠、依憑的商品，我們可以借助高科技放大自身的力量，其實我們同樣需要放大自我的能量，放大心靈的力量，也就是說，「興之所至，隨處可及」。

我覺得對經典的閱讀，不見得非得是系統性的，也不一定要具備什麼資格，只要你有這種覺悟就足夠了。讀一本書，看一回電影，和一個人講話，瞬間心有所感，醍醐灌頂，那是一個「覺」；我們自己終其一身的歷練，自己內心慢慢地參透，那是一個「悟」。我們很多人就是有「覺」而無「悟」，聽別人講的時候，看一本書的時候覺得很對，而過去了就丟掉了。其實，建立在我心澄淨這樣一個基礎上的、終其一身的參悟，才是最重要的，古聖先賢、山川萬物、世間造化，都能夠終得心源，變成自己的人生經驗。

在講完《〈論語〉心得》和《〈莊子〉心得》以後，我自己也在回過頭去想，我和經典共生共長，去揣摩、研讀，這是一個多長久的關係！其實說到儒與道，中國哲學這兩大源頭，在我最初接觸的時候，是處於一種孩提的蒙昧狀態，並沒有一個很明確的意識要去讀，要去記憶。

我自己出身和成長的年代正好是文化大革命的後期，我是獨生女，我的爸爸媽媽是知識分子，被下放到不同的農村，我是跟著外婆長大的，我們家三進的院子裡就我們一戶人家。我小時候連幼稚園都沒有上過，因爲他們不放心我出去，所以一個老太太和一個小女孩就鎖在這個大院子裡。幹什麼呢？就讀詩詞啊，寫毛筆字呀，臨帖呀。但我很慶幸的是，我的家長從來都沒有以一種強制的方法來教育我。

我最早接觸《論語》裡面的一些道理，大概是在四五歲的時候，現在想起來，我父親從一開始就沒有要求我死記硬背，卻經常帶我去叔叔、阿姨家參加聚會，有很多人在一起的時候，爸爸就悄悄地跟我說，你看，這裡有這麼多人，孔子說過一句話叫：「三人行，必有我師焉」，這麼些人裡頭，肯定有能當你老師的人，你去看看，你覺得他們誰對人特別有禮貌，誰特別博學，誰做事做得特別麻利，你去看看誰能當你的老師？小孩子嘛，我就這樣跑來跑去看，有的時候看到有些行爲是好的，也有的時候看到的是不好的，就會跑回來問爸爸，說你看，有一個叔叔他隨地吐痰了，有一個阿姨她高門大嗓地搶別人話了，這個人肯定不是老師吧。然後我爸爸會告訴我說，這也是老師啊，因爲孔子說：「見賢思齊，見不賢則內自省」。你看到比你好的人，你要跟他一樣好，這是老師；但是見到不好的人，你就要反省一下，你會不會跟他一樣不好，所以他也是你的老師，因爲可以讓你反躬內省。

有些朋友經常問我說，你到底是什麼時候整個背誦下來《論語》的？我可以誠實地說，到現在我也不能背誦全部《論語》，因爲我對《論語》的介入一直都是這樣隻言片語化進生活的，所以我從來沒有覺得《論語》是艱深的、遠離現實的，需要我去敬畏、去費很大的力氣琢磨的，我總覺得它對我來講是篤定的、眞實的、親切的、溫暖的。

所以我特別想和大家分享一個經驗，小孩子對形式感一旦產生逆反，那麼內容就再也不能進入他的生活。其實任何一種健康的文化，都有助於生命的成長，所以尊重成長本初的規律，讓孩子在遊戲中自然而然地進入，這才是我們家在我小時候給我的最好的教育。

用仁心溫暖世道

曾經有人跟我說，日本當局在研究我的那兩本「心得」，說要從中看出中國未來的政治走向，我當時嚇了一跳。日本人真了不起，能從中看出中國未來的社會政治發展方向。也許是他們在上綱上線，也許也不無道理。但我並不關注這些，我們都知道儒家有一個「修身、齊家、治國、平天下」的人生境界，我目前關注的僅僅是「修身」這兩個字。

我們的生活，已經無比遼闊地向外拓展，但我們缺少一種內心的復歸。今天的科學技術日新月異，想知道的事，用Google一搜，幾萬條就出來了。但我們沒有一個心靈的搜索引擎，不知道就在當下，就在此際，我們最真心想要的是什麼。不要說相比於兩千五百年前，就僅僅相比於半個世紀之前，我們的物質選擇都已經極大地豐富了，但豐富一定能帶來幸福嗎？可以說，對於有準則的心靈來講，豐富的選擇是一種享受；但對於沒有準則的心靈來講，越是豐富就越是災難，因爲他會爲選擇而選擇，陷入不斷的忙碌中，但始終沒有目標。

黎巴嫩詩人紀伯倫說：「我們走得太遠，以至於忘了爲什麼而出發。」我們其實總是在一次次地重複，但是不知道依據在哪裡。從這一點來講，復歸內心，重新發現自己，這是我做心得闡發的唯一目的。我所做的不是對《論語》的解讀，也不是對《莊子》的注釋，我所做的無非兩個字，叫做「心得」，一心有一心所得，千心萬心，只要用心，皆有所得。

這樣的一種心得，其實無所謂正確與否，我不提供任何答案，只提供一種感知的方式。我不提供任何的結論，只提供一個開始。我不是以一個學者的身分講《論語》、《莊子》，因為作為學者，我的研究領域是影視傳媒；我只是作為一個普普通通的中國人，我所完成的是對文化基因的喚醒，而不是任何知識、道義的灌輸。而這樣的一種基因是存活在我們心裡的，比如今天你走在中國的農村，他們鄰里之間的關係，待人接物的方式，不經意間流露出來的那種善意，一定是和儒家思想有默契、有關係的。這就是文化基因，它不一定要讀了書才能達到。從這個意義上來講，我想所謂的「治國、平天下」這些遠端的理想，都不是我想討論的；我想說的就是在一個多元的、變化萬千、價值斷層的社會形態中，我們每個人如何從倉皇中找到鎮定，從變動中發現自我，於這樣的一種忙碌迷惑之中擁有更多輕盈和快樂，讓自己生活得更有效率。如果能做到這一點的話，我覺得我的目的就達到了。

中國文化經歷了漫長的歷史，我們的文字經歷了很大的變化，我們的語言方式也跟以前完全不同了，但傳統文化的血液仍留在我們身體中。血液之中，一定會有某種文化基因的存在。上一個世紀，整個二十世紀，中國的儒家思想經歷過兩次全民性的顛覆。一次是在上世紀之初的「砸爛孔家店」，因爲這樣的一種文化妨礙了科學技術的發展、進步，成了中國社會轉型最大的障礙，這是一次。接著是半個世紀之後的「批林批孔」，又是一次全民性的批判。即使是經過兩次大規模的顚覆之後，到今天，我們又開始回歸和尋找我們的文化基因。其實，並不是說我一個人的力量能夠做到什麼，我只是現象之一，每個人的內心都有回歸和尋找，有太多太多回歸和尋找的行爲，不見得一定要站在理論的高度，在一種精神的指導下才出現，它都是自發的行爲。

中央電視台每年過年的時候，都有一台大型的節目叫《感動中國》，這個節目是將中國能夠讓全社會感到溫暖、善良的行爲挖掘出來，然後集中起來，最後選擇十個人，進入當年的「感動中國榜」。這幾年來，我一直是這個節目的推選委員，他們會把幾十個人的材料拿出來，讓我們看材料然後去推薦一個人。前幾年的推選中，我見到的都是眞正的英雄，有排爆除險三百多次的排爆專家，有奮不顧身解救人質的警察，也有高山上的哨兵，都是一些極端的個案，很傳奇。

但是在二〇〇六年的材料中，我看到了一個叫林秀珍的農村婦女，河北衡水人，終其一生，她只做了一件事，就是她從二十多歲嫁到這個村子，就義務撫養村裡所有的孤寡老人。她作爲一個新媳婦去認人的時候，看到劉爺爺劉奶奶這樣一戶人家，很窮，她就說我婆家也不富裕，那我吃窩窩頭，你們也跟著吃，我喝粥你們也喝粥，但我保證你們不斷炊。這樣說過以後，她就每天去給人家做飯，天天做，一直做了八年。劉奶奶有一天從炕席下拿出一包安眠藥，她說：「本來這是我和劉爺爺準備最後動不了的時候用的，這是我們的下場。八年了，我看你一天都沒斷過，現在我才覺得我們大概不需要了！」說著就把藥扔進了火塘。林秀珍不光養這一家，最多的時候她養了六家老人，有一戶養一戶，她養上了，就一直養到送終。如今她已經六十多歲，這麼多年來，她自己的四個兒女陸續出生，孩子們都管這些老人叫爺爺、奶奶，媽媽忙不過來的時候，兒女就會去幫忙給老人們洗腳、剪指甲。這就是林秀珍被推薦的全部理由，她沒有過驚天動地，也沒讀過聖賢經典。如果不是《感動中國》這個節目發現了她，她也許一生都不會走出那個村莊。

當時的推薦語是我寫的，我寫了一句話：「如果富人做這樣的事叫做慈善，那窮人做這樣的事，她就是聖賢。」我看她材料的時候，就想到了「仁」這個字，二人成仁，仁愛之心，永遠是從與他人的關係中生發出來的，區區兩萬字的《論語》，「仁」字被提到一百零九次，「仁」可以說是中國儒家思想核心中的核心、基石中的基石。所謂「己欲立而立人，己欲達而達人」，就是說，我們每一個人都希望在世界上安身立命，那麼，就用樹立自己的心去幫助別人樹立；「能近取譬」，就是將心比心，將自己的心去與同類的人做一種心靈的類比，這就是仁義最基本的方法。這樣的方法後來被孟子推演爲「老吾老，以及人之老；幼吾幼，以及人之幼」，無非是講眼前人、身邊事，當下完成，把它推廣開來，不需要多麼遠大的理想，也不需要位高權重。我看見林秀珍的材料，腦子裡就眞的跳出這些話來。後來她當選的時候，舞台上每個人有一座「豐碑」，我還記得在她的前一位就是霍英東先生，他的豐碑鐫刻著四個大字：「輝煌一生」，這是一位偉大慈善家的碑銘。接著就是林秀珍的豐碑掀開，她的碑也有四個大字：「溫暖世道」，這也是推委會對她的評價。推委會說：「三十年來，善良流過村莊，她用自己的仁心溫暖了世道。」這句話言外之意是什麼呢？就是我們的世道有點蒼涼——不蒼涼，爲何需要溫暖？但這樣一個農村婦女，用自己一生的努力，就眞的可以溫暖這個世道，這不就是聖賢嗎？這還用說，我們的文化可以人爲地被改變嗎？可以在文字中被終止嗎？林秀珍沒有讀過多少書，但是她在做。我相信，我們每一個中國人的血液中都蟄伏著傳統文化的基因，一種溫暖、善良的願望。我們會用不同的方式去言說，即使我們不去言說，當我們「敏於行」的時候，它也永遠活在我們的行爲方式中。

尋找自我救贖的力量

我在簽名售書的時候，有一個老人和一個小孩對我說的話，讓我感觸很深。那位八十歲的老人說：「謝謝于老師，你把孔子給中國人找回來了。」這是一個老人的話，因爲他覺得孔子一直沒有丟失，他在每個人的心裡，我們有尋找之心，才會覺得他回來了。那個十二歲的小女孩說：「阿姨，我看完你的書，才知道孔子說的不是廢話。」我當時很想抱抱她，十二三歲的孩子，當他們打著遊戲機、吃著麥當勞、聽著流行曲的時候，她還能知道孔子說的不是廢話，已經足夠了。我們不需要她了解多少，不需要她系統地誦讀——誦讀也不一定就是唯一的形式。其實只要拋開成見，我們就會知道，各種文化在生命中的啓動都是需要的。她只要覺得這不是廢話，值得她去關注，這就是我們未來的希望。

談到傳統文化的遠景，我不希望我們的文化是一元的，我不希望只是儒家文化的簡單回歸，不希望把東方文化看作我們唯一的根本或是源泉。我這十幾年來跟香港的淵源很深。一九九六年，我在香港前前後後逗留了半年的時間，因爲當時中央電視台做了一個大型的專題片，叫《香港滄桑》，一共十八集。我當時作爲撰稿人，就要了解香港，從那個時候，我就跟香港接觸很多。我覺得香港多元文化並存的特徵特別明顯。我們對於每種文化，就應該像我們的口味一樣，不會因爲喜歡吃西餐而放棄吃中餐，也不會因爲喜歡吃中餐而放棄吃日本菜或義大利麵。其實在口味上，一個人可以是多元的，在文化和倫理上也可以是多元的。

文化從來都是一種從容的流變，我想不應該抱功利心，我們的心忠誠地去對待自己的內心態度，去保有一種幸福的提升。其實不計較功利，也許我們可以走得更好。比如說對於讀書的態度，我喜歡的是陶淵明說的「泛覽周王傳，流觀山海圖；俯仰終宇宙，不樂復何如」，這個讀書的態度很好。對文化也是一樣，你可以泛覽，可以流觀，仰觀天地之大，俯察品類之盛，俯仰之間，人生不樂復何如？只要人生是寬廣的，是快樂的，那麼各種倫理、各種文化，只要你需要，你就會吸取。這樣的話，它不作爲一種外在的強制，而作爲一種內心的需要，在豐盈飽滿、富足快樂的人生狀態下，我想應該得到的文化最終都會被整合到自己的生命中。

今天的文化，在一種多元並存之中，每一個人其實都在以自己的生命作爲支點，將文化作爲一種力量融合進去，轉化爲一種生活的方式。生活方式是什麼？就是讓我們從文化中找到在自己困頓的時候可以被救贖的力量，在安穩的時候可以快樂的能力，這些文化的東西不一定需要我們長篇背誦，但是它可以成爲我們內心源源不斷的力量。

中國文人中就有很多這樣的例子。你看張孝祥在過洞庭的時候，中秋節被貶官了，那是怎樣的一種心情？每逢佳節倍思親，他一個人在那裡被貶官了，一個人駕著一葉扁舟，「洞庭青草，近中秋，更無一點風色。玉鑒瓊田三萬頃，著我扁舟一葉」，這是一種天地情懷啊！就是他可以看到這麼遼闊、像玉鑒田野一樣的景致，我的一葉扁舟穩穩地行在其上。那麼天地宇宙與他的關係呢？「素月分輝，明河共影，表裡俱澄澈。」銀河和皎月照射他的心胸，他的外在和內心，都是朗朗的、皎潔的，這就是一個人的人格。所以他說這樣一番境遇「悠然心會，妙處難與君說」，他不感到悲哀和困窘，反而有一種悠然神往。

他也知道自己一直在貶官，「應念嶺海經年，孤光自照，肝膽皆冰雪。短髮蕭騷襟袖冷，穩泛滄浪空闊」。就算這種短髮蕭疏、一腔清冷又有什麼呢？我還可以穩穩地泛舟，生命還是穩健的。所以他說只此一刻，即使天地都沒有光明了，我還能做到「孤光自照，肝膽皆冰雪」，這是什麼樣的心？我會想到儒家所謂的「君子」，生命坦蕩而沒有戚戚之懷，這不就是君子之襟懷？張孝祥所表現出來的天地坦然，不就是這樣嗎？

這種境界在道家思想中，「孤光自照」轉換爲莊子的話，就是兩個字：「葆光」。他說，我們的心爲一個府庫，養心最後是爲了保有心的光芒。這種光芒不一定來自外界，你心裡就一直帶著的。而光芒的境界，我最喜歡老子的表述，四個字：「光而不耀」，內心有光芒但不耀眼，不刺傷別人，不張揚。若要我形容，我認爲「光而不耀」是「啞光」的那種光澤，它不是那種亮亮的光澤，而是一種優雅、節制、含蓄、內斂並且是永不中斷的光澤。

像張孝祥在那樣的困頓之中，你說他是儒家之境，還是道家之境？總而言之，他保有生命光芒。所以他不是在隱忍，而是在歡樂。想到所有人都在中秋團圓的時候，他看到山川萬物皆為我的嘉賓。大家都在喝酒，我有什麼？「盡挹西江，細斟北斗，萬象為賓客。扣舷獨嘯，不知今夕何夕。」我抬頭看見北斗之星是勺子形，我用這勺子舀盡西江水，遍宴山川萬物。這是什麼？我不把它當作詩詞來讀，我把這對苦難的穿越看成人生豪奢的一場審美。

中國知識分子，還有一個很傑出的代表——蘇東坡。這個人，你說他是儒是道？作為儒家，他當過翰林大學士，在北宋是一個傑出的政治家。他以自己敏銳的政治稟賦和知識分子的良知，看出新黨過於激進、舊黨過於保守，一生掙扎於黨爭之間，兩黨都不把他當自己人，他一直做著文化學者的擔當，這說明他入世很深。另一方面，在生命遭遇困頓的時候，他又是怎樣的態度？他如果在好地方當官，比如在蘇杭，他可以寫一寫濃妝淡抹總相宜的西子湖，可以參禪修道、修橋修堤、賞賞風景，還可以研究東坡肘子這樣的美食。但是，一旦貶官了，「若問平生功業，黃州惠州儋州」，貶到天涯海角，貶到今天的海南這個地方，你說他沮喪嗎？但他卻說「九死南荒吾不恨，茲遊奇絕冠平生」，這是我平生未到的奇觀麗景，縱使再有千百次的貶謫，心中都不會有遺恨，因為這裡的景觀太美了。

到那裡沒有東坡肘子了，他說「日啖荔枝三百顆，不辭長做嶺南人」，我可以吃鮮荔枝啊，吃得多高興啊。到那裡不做高官，沒人成天給他送禮，他抬頭見月，低頭看花，「菊花開時乃重陽，良天佳月即中秋」，有月就叫中秋，菊花一開就喝酒過重陽，我想過節就天天過節。這樣一個被貶官的人，處處歡樂。他到那麼老，在密州出獵的時候，「老夫聊發少年狂，左牽黃，右擎蒼。錦帽貂裘，千騎卷平岡，為報傾城隨太守，親射虎，看孫郎」。

這樣一種生命豪情，你說他的心不悠遊嗎？你說這不是沉浮由心嗎？「日暮鄉關何處是？煙波江上使人愁。」大家都在追問家鄉何在的時候，蘇東坡說「此心安處是吾鄉」，一顆心可以安頓的地方就是故鄉。所以，在這個世界上，我們沒有物理上的故鄉，今天所謂的故鄉就是祖輩的他鄉。我們只有此心安處，才是生命可以託付的歸屬。以這樣的態度來看道家，就是生命的瀟灑狂放。因此我喜歡林語堂對蘇東坡作的評價，叫做「不可救藥的樂觀主義者」。

樂觀主義是一種生命態度，當一個樂觀主義者去擔當重任時，他才不會被沉重壓垮，所以我說，我們要擔承重任，但要舉重若輕。我不喜歡忍辱負重，同樣是重，為何不能擔當得輕盈？我覺得家國責任，加在一個樂觀主義者的身上，他會永不妥協。

你成就世界，世界才會成就你

在生活中，可能很多人做的事情都是相同的，但是不同的人對同一件事的詮釋態度卻可能是完全不同的。我曾經在一本書中讀到一個故事。一個十五世紀的宗教改革家，他說他年輕的時候，曾路過一個巨大的石料場，他看到很多人在烈日下汗流浹背在搬石料，但他不知道他們在幹什麼。他就問第一個人，你在做什麼？第一人說：「你看不見啊？我服苦役呢！」然後他問第二個人，你在做什麼？那人比較平和一點，說：「我在砌一堵牆。」接著，他再去問第三個人，你在做什麼？那人臉上顯出安詳的光彩，他擦了一把汗，說：「你問我嗎？我在蓋一座教堂。」其實，這三個人手中搬的都是一模一樣的石料，他們是一模一樣的累，天上是一樣的太陽，地下掉的是一樣的汗珠子，爲什麼解釋不同？這是三種態度。

在社會上，我們每個人手上或輕或重都有一塊石料，我們都在盡著公民的責任，我們都在完成職業的任務，但是對於這塊石料的解釋卻不大一樣。

第一種人，我稱之爲悲觀主義者。我們做任何一種職業都有各自的沉重，都有各自的付出和委屈，其實你有理由認爲生活就是一場苦役，但是當你不斷抱怨的時候，你的人生會流失掉許多的快樂年華。

第二種人，我稱爲職業主義者。你永遠只知道一堵牆一堵牆地砌下去，你有自己的職業，有自己的薪水，有老闆給你的職稱，所有這一切你不能辜負，你可以完成保底，但你永遠沒有提升。

第三種人，我稱爲理想主義者。這種人有憧憬，有達觀、快樂的理想，他會努力去完成眼下每一塊磚的搬運與堆砌，因爲他心中有一個未來的遠景——一座神聖的教堂。

君子的力量永遠是行動的力量，而不是語言的力量，但是眞正的君子在融會貫通之後還有一個很高的標準，就是君子從來不是作爲一個固定的職業、一個小角色被擺在那裡的，他們是變通的，是與時俱進的，是在這個社會的大變革裡面隨時調整自我的人，這就是孔子所說的「君子不器」。君子在這個世界上不是作爲一個容器而存在的。容器是什麼呢？你是合格的，中規中矩地擺在那兒做一份職業而已，這種人就是我剛才說的職業主義者。比職業主義更高一層的境界是理想主義，一個君子重要的不在於他的所爲，而在於他的所爲背後的動機。其實人很奇怪，我們是思維決定行動的動物，也就是說態度決定一切。

我們今天的社會，有太多太多的不盡如人意，但恰好是這些地方需要我們去做。心懷夢想，有快樂飛揚的力量，才能從困難中超越而去。也許因爲我們今天的社會太沉重了，我才不希望我們的心困頓於此。我們正需要用這種樂觀的精神與達觀的力量去改變這個世界，所以我們的自我才必須堅強。

我想，一個現實主義者去做事，他可能會被現實中太多的困難擊垮而妥協；而一個永不妥協的理想主義者，他行走於現實之中，也許正是由於他的堅忍，再堅忍一點，下一步就是奇蹟的發生。從這一點來說，如果我們眞正對家國有所憂患，我希望在憂患之外，我們能以一種堅強、理想的態度去改變這個社會，在完成這個社會使命的同時，也讓自己的生命寬度能夠因此擴大。

中國知識分子的道德理想，用宋人張載的話說，就是「爲天地立心，爲生民立命，爲往聖繼絕學，爲萬世開太平」。「爲天地立心」，我們的一顆心在天地之間，這是一個大的座標系，有天地之心，天、地、人三方才能共同成長，才不會讓我們覺得生命無根。「爲生民立命」，即是說你的使命感是關乎天下百姓的，我們要取這麼大的一個起點，才會有這麼一種責任擔當。「爲往聖繼絕學」，我們已經有多少往聖先賢創造出的絕學，因爲相隔時空，今人難懂，已經擱置在那裡，需要我們去繼承。而這麼一個「繼」字，我的理解是，不是簡單的傳承，而是眞正的闡發，要像司馬遷那樣「究天人之際，通古今之變，成一家之言」，我覺得這才是眞正的繼承。「究天人之際」是一種哲學；「通古今之變」是一種史學；「成一家之言」，他那樣一種汪洋恣肆、「無韻之離騷」的筆法其實是一種文學。文史哲融入一體的時候，他的《史記》才會成爲二十四史之首。雖然它遠遠不如《漢書》那樣禁得起推敲，但它那種個人的風發揚厲，天地之心，生民之命，在裡面是有的。

在〈太史公自序〉中，司馬遷說到他的父親司馬談在病中向兒子託付，說五百年有周公，五百年有孔子，而到今天又這麼多年了，有誰可以繼絕學，爲往事作一種闡發呢？司馬遷在父親的床前涕泗橫流地說，小子何敢讓賢，這是歷史的選擇，自己是無法推卸的。我覺得，這就是文人的使命，所以你「爲往聖繼絕學」，是對歷史的交代；「爲萬世開太平」，是對未來的承諾。

今天的社會需要我們太多人來改變，但那樣一種「天地之心」、「生民之命」，它必須託付給一個健康的、有能力的、蓬勃的、有夢想的生命，這個生命本身不能是暗淡的、瘠薄的、脆弱的、消沉的。我們每個人都應該在擁有了風發揚厲狀態之後，才去擔任那樣的職責。你創造，你快樂，你成就世界，世界也會成就你的生命！

給你的是情分，不給的是本分

有很多人對我說，《論語》再好，它也是兩千多年前的東西了，當今社會跟兩千多年的那個時代已經完全不一樣了。所以他們就有了這樣的疑問：當經典智慧和現實生活發生矛盾的時候，會不會有挫敗感？會不會有懷疑、沮喪的時候？我說，當然人人都有他的懷疑和沮喪，但我們不能將其歸咎於經典或現代給我們的理念。孔子有一句話：「不怨天，不尤人，下學而上達。知我者其天乎！」當你真正了解了生命規律的時候，是沒有任何理由可以去抱怨的。你不把自己的生命交出去，你也不要指望哪一個經典來拯救你。你不斷章取義，不急來抱佛腳，哪有他人的智慧可以用來抱怨？只有感激。

我覺得，每個人在完成生命覺悟、修煉、自省的過程中，這個世界給你的都是情分，不給的都是本分，在本分的時候不要抱怨，是情分的時候要學會感恩。用這樣的心態去對待，每悟出來一點，它都是很美好的事情。

在困頓迷惑的時候，我相信泰戈爾說的一句話：「人向前走路，抬腳是走路，落腳也是走路，如果只抬不落，我們怎麼往前走？」人的情緒總會有它的潮起潮落，你在迷惑的時候，想到這是兩個波峰之間的一個波谷，下一個波峰即將到來，所以凡是路總會走得過去的。抱著這樣一種心態去面對困頓，佛家有個境界，當世界無情時我多情，當世界多情時我歡喜。歡喜之心一直在，沒有什麼迷惑走不過。

當這個世界給你情分的時候，當經典給你智慧的時候，你要學會感恩。學會感恩，我們的心靈才得以獲得重生的力量，然後我們才可能有一個博大的胸懷去回報，去愛這個世界，去平等地對待世間萬物。這就是儒家說的「仁」，墨家說的「兼愛非攻」。百家之說異彩紛呈，各有自己的一種闡發。墨家「兼愛非攻」，這是它的核心理念。也許有人會說，儒家被各個朝代的封建君主拿來作爲統治人民的工具，它特別強調尊卑、等級，它怎麼會有眞正平等的「仁愛」呢？我想所謂等差之說，其實是它在後世作爲統治之術被人爲地放大了。可以說，當儒家眞正強勢起來的時候，也是它弊端最明顯的時候。漢武帝獨尊儒術的時候，儒作爲絕對主流的意識形態，它的強權被放大，等差就隨之出現，因爲它成了統治階級的一種御用術。但是，如果我們回到本初，回到「己欲立而立人，己欲達而達人」這樣的一個性情層面，應該說等差是不明顯的。

什麼是仁呢？孔子曾經跟他的學生解釋過，有五者能行於天下，仁就算做到了，這五者就是恭、寬、信、敏、惠。

他說，首先人要對世界保持由衷的恭敬，「恭則不侮」。也就是說，每個生命皆有尊嚴，這種恭敬態度是對所有人說的。

第二個態度是「寬」，「寬則得眾」。一種寬和之心，心底無私，天地乃寬。這樣一種心態才能得到大眾的擁戴。

接著是「信」，「信則人任焉」。一個用生命守住信譽的人，就會有人用你，你的職業生涯就會順風順水。

第四點是「敏」，「敏則有功」。一個有敏銳之心的人就能建功立業。

第五點是「惠」，「惠則足以使人」。有慈惠之心，讓所有人可以分享精神利益和物質利益，那你就足以使用別人。

孔子說，「仁」只要恭、寬、信、敏、惠就可以做到了，其中並不強調級差。

任何一個文化形態的誕生，一定是跟當時的文化環境和社會形態相關聯的。《論語》產生的時候，整個社會的行爲規範是靠「綱常禮教」的，也就是大家用一種禮法來進行道德約束。在那個時候，「民可使由之」，有一種意旨讓大家知道怎樣做就夠了，在儒家的體系中，並不主張讓老百姓去了解很多的知識與道理。還有比這個說得更過分的，比如「勞心者治人，勞力者治於人」。這都是當時站在封建統治者的角度上所講的一種行爲規範。

我從來不主張「爲賢者諱」。我們沒有那麼多的精力去挑剔經典中已經過時、不合時宜和沒落的思想，我們只能本著建設性思路，把對我們生命建設有用的東西從中提取出來。傳統文化中確實有很多東西，在今天都已經過時。但我認爲，寬容，也包括對古聖先賢的寬容。我們不是搞純學理的研究，無需揪著沒落的學理去死纏爛打。正如我們看半瓶子的葡萄酒，如果你看到已經空了半瓶子，那你就是悲觀主義者；如果你看到還有半瓶子酒，你就是樂觀主義者。

我倒是覺得，年輕的朋友如果能摘掉有色眼鏡去重讀經典，從原初的闡發中得出自己的結論，也許是一件好事。我小時候，我們的教科書上對《莊子》的評價很糟糕，說《莊子》代表沒落的奴隸主階級的思想，說它是消極的，是腐朽的，是阻礙社會前進的。如果你這樣去讀經典，那你永遠讀不懂，你得到的就永遠是本分，不會是情分。

無爲無不爲的生命境界

在我個人的生命取向上，我非常癡迷於道家的精神境界，因爲它說：「夫列子御風而行。」生命眞正的境界，是生命無待，自由飛揚，這個境界多好！但這些都需要把自己的心融進去後，才能解讀出來的，戴著有色眼鏡去讀，那只會鬧笑話。

比如說，莊子的思想傾向於「無爲」，那麼可能就有人會擔心，這種思想對年輕人來說是不是過於消極？不利於資本主義的競爭性？

那麼我們就來說一說如何理解「無爲」。「無爲」，不要斷章取義，它眞正厲害的叫做「無爲無不爲」，也就是說，「無爲」是爲了「達道而治」。「無爲」是一種對生命境界的順應，它從來不矯情。莊子曾經提出一個大膽的結論，說伯樂是個殘酷的暴徒，說伯樂識馬，整治馬匹，把馬一會兒給烙，一會兒給剪，一會兒給訓練，馬已經死傷過半了，最後訓練出來的幾匹，他叫做「良馬」。這實際上是違背了物理天性的。

其實，什麼叫做眞正的無爲、順應？就是尊重生命、尊重成長，在這種尊重中，讓一個人的主觀能動性發揮到極致。今天的外在社會，有時候修理了我們太多的天性，在這種狀況下，道家的積極意義就體現出來了。比如，一個生命長成什麼樣子才叫標準？惠子曾經去問莊子，說魏文王給了我一個葫蘆籽，後來我就種出一個大葫蘆，這葫蘆長得太大了，把它剖開當水瓢嗎？莊子就說，你眞笨，長那麼大你就別把它當水瓢，把它綁在腰裡當個游泳圈多好。誰家能長出那麼大一個葫蘆？為何你要按照一般的功用去考慮它？然後惠子又跟他說，有棵大樹長得不規矩，長得太大了，「其大本擁腫而不中繩墨，其小枝卷曲而不中規矩」；「匠人不顧」，木匠路過這棵樹時，都不想看它一下，說這個木頭長散了，沒有用了。莊子說，那麼大一棵樹為什麼非要做建材呢？你把它立於廣莫之野、無何有之鄉，讓所有人「彷徨乎無為其側，逍遙乎寢臥其下」，讓過往的人乘乘涼、聊聊天，二三十人在那開Party，這不是挺好的事？

所以莊子有這樣的闡述，他說，一根木頭如果長到一圍粗，大家都說這個木頭好，是個標準規格；長到三四圍，是棟梁之材；如果長到七八圍，就非常昂貴，富人家可以做厚厚的棺材板；如果再長得大，長成十人合抱、二十人合抱，人們就說這木頭就沒用了，就長成了散木，木質流散，做什麼都不好用了。但是莊子說，如果眞的長成那麼大，它就成了神木了，人們可以圍著它進行慶典。我在西藏林芝見過一棵二十人合抱的大樹，我住在那兒好幾天，經常看到人拎著青稞酒到樹下去，在那裡狂歡，大家都會圍繞著它。過去我們認為，生命規格小的時候，合乎標準，而生命氣象大了就超過我們的想像了。其實莊子就給了我們最大的境界，他讓我們知道人的生命可以有像大鵬鳥與燕雀那麼大的區別。當你的生命蟄伏於水中，作爲鯤的時候，是一種生命含蘊；化而爲鳥，其名爲鵬，「鵬之背，不知其幾千里」的時候，這就是生命的遼闊；可以遷徙的時候，升騰而起，不知幾萬里長空，這樣的生命境界不好嗎？這種無爲之心不好嗎？什麼叫做無爲？無爲無不爲。

很多人都愛看武俠小說，我自己從小就喜歡讀武俠。我看的時候，會注意到武俠小說的境界，像金庸寫的主要是俠而不是武，他講的是一個人內心的歷練與修正。他會說，一個少俠初出道時，用天下無雙清風寶劍行走江湖，仗劍遠遊，這時候他仗的是力氣；等到十年過去，這個人年近中年，武功精進，他就會用一把不開刃的鈍劍，因爲他用不著鋒芒了；然後再長十年，他可能成爲了一個門派的掌門人，已經成爲一個受尊重、內心博雅的人，這時候他不用金屬了，只用一根木棍；等他武功再精進，十年、二十年過去，他成爲武林至尊的時候，連木棍也都拋棄了。在這個時候，所有的功力都已內化，他可以在不經意的地方出手，由於他身上無招，所以別人就無法破他。當別人用槌的時候，他揮拳就是槌；別人出劍的時候，他的雙指就能削出劍氣。當十八般武藝來的時候，一切都敗在他的手下，這個境界就是獨孤求敗的境界，但求一敗而無敵手。這是什麼境界？無爲無不爲。

做最美的自己

我不久前聽說自己入選了一個「最美五十人」的評選，我自己也不知道是以什麼標準選出來的。我自己在年輕的時候，從來沒有被人家稱讚過漂亮，現在不懂爲什麼就糊裡糊塗地進入了這樣一個評選。當時我開玩笑說，他們一定是把我跟孔子、莊子放在一起比的時候，覺得我是美女。後來我就覺得，如果一個女人要永遠保持美麗，那你要選擇一個比你老兩千多年的參照物，你就可以永遠美麗、永保青春。

希望年輕漂亮是每個女人的心態，但是沒有辦法，一個人的容貌，前二十年是爹媽給的；至於二十歲以後到終生，美麗的東西一定跟自己的修煉相關，它其實跟你的五官長成什麼樣子，沒有直接的關係。這個關係就好像幸福與金錢一樣，說沒有金錢你就特別幸福，那不現實；說有了金錢，你就一定幸福，那也未必。也就是說，一個女人，她的物質生活的質量會影響到她的容顏，但它只是一定的基礎。眞正的美麗，我想，它首先與女人的善良相關。其實，眞正最美的女人，都是那些情懷柔軟、善解人意，而且不抱怨、不嘮叨的女人，誰也沒有見過嘮叨的美女，對吧？也就是說，眞正的美麗，它與情懷相關，與教養相關。教養不一定是知識，不一定學富五車，讀到博士也不一定美；教養有時候是一種通透的悟性，在舉手投足之間，你會覺得她有一種溫婉如水的氣質。這種氣質不會以強勁的力量迸射出來，而是以一種婉約和持續的姿態自然流露出來。在我們生活中，它可能是一種養分，它可能是一種鮮亮的光彩，它可能會爲我們帶來一種身心的愉悅。

爲什麼古人說「腹有詩書氣自華」？有情懷、有教養的女人，會洋溢出一種氣質，只有氣質是不可替代的。從這點看來，女人沒有必要怕衰老，年華就像陳釀，越醞釀越有味道。

如果說還有第三點的話，那跟自信有關。自信的女人，你愛自己，別人才會愛你。任何一個生命都有它的自我確認。一個眞正有情懷、有教養、有自信的女人，在任何一個年齡段上，可以說，她永遠都是一個美好的女人。

當然，要做一個美麗的女人，還有很重要的一點，就是她要扮演好生命的多元角色。就我個人的體會來說，我覺得，第一個是工作的角色。我的工作看起來好像很忙，但是我有一個標準，就是我做的事情一定是我很享受的事情，如果我不喜歡，我就不去做。我覺得我們的人生沒有那麼多時光可以用來浪費，用來勉強自己做不願意的事情。

第二個是家庭的角色。我有我的家庭倫理觀，我有時候跟我老公講，我在外面奔忙的時候，最牽掛的兩個人，就是我叫媽媽的人和叫我媽媽的人。這是我生命中無法割捨的根，所以你說家庭對女人來講是一種負擔嗎？沉重嗎？正是因爲你有他們的愛，以及你可以給他們愛，而感到一種眞正的幸福。這是我的家庭角色。

第三個，我還有獨立的社交角色。我有形形色色的朋友，我的一個朋友圈子跟另一個朋友圈子完全不交叉。我有一批特別文人氣的朋友，是把酒臨風、賦詩作畫的老先生，我跟他們在一起，可以完成一種文化飛揚的穿越。我還有另一批玩行爲藝術、特別酷的年輕朋友，我們可能今天去聽爵士，明天去看展覽，後天去飆車。另外，我還有一批特別女人氣的朋友，今天去泡吧，明天去做spa，後天去逛小店。當然，我的學生都是我的朋友，大家可以一起玩得非常瘋。我覺得，人生就是因爲擁有不同的朋友，你在這個社交角色中，生命的各種潛質都可以被啓動，他們可以激發你的活力，所以對朋友要永遠感恩。

第四個角色是我的心靈角色。我永遠能意識到我的靈魂在哪裡。大概從六七歲起寫日記，一直到現在，我的這個習慣沒有中止，即使再忙，我每天還是會寫日記。因爲我覺得寫日記讓我完成了對內心的梳理，可以安頓，我對自己會有一個評價。

從一個角色跳到另一個角色時，它是一個很積極的跳躍和休息，你不會感到疲憊的。所以我還是要回到那句話：態度決定一切，我們的心態會決定我們的狀態。

過去說到中國的勞動婦女，一直都把奉獻、犧牲作爲傳統美德，我對這種話很抱質疑，因爲我不喜歡犧牲這個概念。什麼叫做犧牲？根據《辭海》的解釋，那種被剝奪生命、奉上祭壇的生物才叫「犧牲」。犧牲就意味著你為了某個崇高的目的而放棄了自己的生命。當女人覺得她為家庭、事業做出了犧牲，這就給她的抱怨找到了最佳理由。她就會跟孩子說，媽媽就是為了你才弄得蓬頭垢面，你不好好學習，你對得起我嗎？然後對老公說，我就是為了這個家才操勞成這樣，你還不好好愛我，你還對得起我嗎？當一個人總是這樣抱怨的時候，這在心理學上叫「非愛行為」，以愛的名義所進行的親情之間的綁架。對一個女人來講，你愛一切，你付出，你享受，這是一個很幸福的過程。能夠愛與被愛，這是生命的幸福與奢侈。所以我覺得，誰都不要說犧牲，我們自己付出了，我們的收穫更多。

在這個過程中，一個美麗的女人，一個自信的女人，在多重角色中的穿梭和跳躍，你永遠不會覺得時間不夠，因為一分一秒，你都可以活得有張力。其實在我的生命中，年齡不是一種歷時性的成長，而是一種共時性的存在，我在一天內可以體會十五歲和五十歲的心情、十六歲和六十歲的狀態。在我跟學生瘋玩的時候，就是十五六歲的赤子之心；當我跟一幫朋友談詩論道的時候，就會有一種知天命的徹悟。當我們的生命在同一天之中有很多交錯成長時，我們還會在乎年華嗎？其實年華就在自己手裡，這段流光從歲月借來冠以自己的名字，無非是最後成為一個眞正的自己、一個最好的自己。

卷三

什麼樣的生命是快樂的

我們生命中最重要的不是當下的職業和目前取得的成績，而是你的生命還有其他的可能嗎？人的一生，可能性的價值永遠比確定性的要大。其實，當我們說「我就是什麼」的時候，就意味著放棄了很多的夢想。

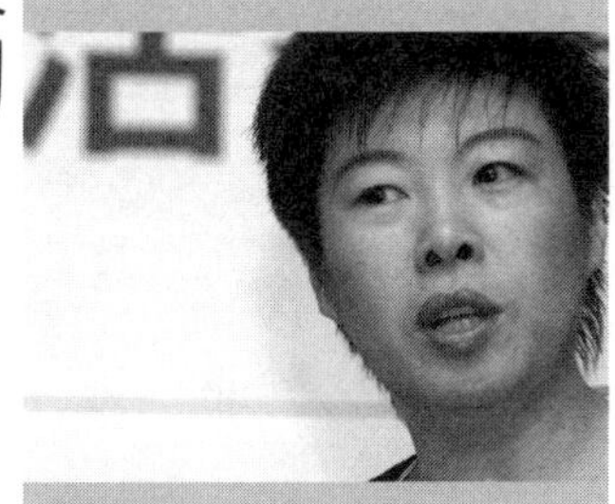

于丹

最難抓住的是自己安靜的心

在當今這樣一個物質異常豐富的時代，我們對於整個外在的世界有了越來越多的依賴，依靠越來越先進的技術延展自身的能力。但在內心深處，我們到底能不能夠有同比增加的幸福和快樂？我們的內心有沒有我們所期望的那種寧靜？我們對自身的角色定位、目標是否那麼明確？其實，這一直都是我想和大家談的話題。

我曾經看到過一個非常有意思的故事：有一個人種葡萄，種啊種啊，培養出一個非常好的良種葡萄，他自己吃著覺得太甜了，他就捧了一大堆葡萄，欣喜若狂地跑到街上去，希望和大家分享。

這時候過來了一個官員，他就跑過去對那個官員說：「你嘗嘗我的葡萄吧，看看我的葡萄好不好。」那個官員看了他半天說：「你是不是有什麼事求我啊？是需要我幫你家裡人呢，還是幫你自己呢？你說出來，我就接受你的葡萄。」他說：「我什麼都不求你，我只是想讓你嘗一嘗。」那個官員又看了他半天，說：「沒事求我，幹嘛要讓我嘗葡萄呢？」說完就走了，弄得那個種葡萄的人非常失落。

這個時候又過來一個商人，他就又跑過去問商人：「你願不願意嘗嘗我的葡萄？」商人說：「這麼好的葡萄，很貴吧？你說吧，你這一堆要多少錢？我給了你錢之後，我就可以拿走。」他說：「我不想要你的錢，你先嘗一嘗。」商人說：「這個世界上哪有不要錢的東西？你這樣白給我的話，我覺得不符合我的判斷。算了算了，我還是不嘗了。」

最後過來的是一對恩愛的戀人。他特別高興，覺得那個年輕的女孩子，一定愛吃新鮮的水果。他跑上去問：「小姑娘，你想不想嘗嘗我的葡萄？」小姑娘特別高興，正想要吃的時候，她身邊那個男孩子就衝那個種葡萄的人怒目而斥：「你什麼意思？」他覺得很害怕，心想不要鬧得人家兩個人不高興了，算了算了，就跑回去了。

在往回走的路上，過來了一個髒兮兮的老乞丐，他看到葡萄，不由分說地拿起來就吃，然後說：「天吶，這是天底下最好的葡萄！我實在太高興了！兄弟，你實在太棒了！」說完就揚長而去。這時候，種葡萄的人才高興起來，他覺得老乞丐給了他最想要的東西，就是一種最單純的快樂的分享。

我們想一想，我們見過多少官員、多少富商、多少戀人，他們或者有權，或者有錢，或者有情，但那些阻礙他們獲得幸福的障礙我們都不陌生。我們在做所有的事情前都會想，我們的快樂是和哪一部分相關呢？如果沒有一種交易、沒有一種利益關聯的話，我們可以獲得一種單純的快樂嗎？

其實，這就是我們今天的困頓，我們的內心裡面就是少了一種不假思索、生命熱情奔湧而出的單純情感。我們生活在一個如此多元化的時代，但有一種價值觀卻是驚人的相似和單調，就是賺錢賺錢再賺錢。然而我要說，當我們賺了那麼多錢之後，我們還有時光去享受它嗎？我們賺的那些錢放在那裡，會不會把我們的生命異化？

經常有人給我打電話，邀請我講課，總在說定一個時間表，給我看看你的Schedule，看還能不能排出我的時間。我說我不行了，比如說我週一、週二要上課，週三要寫點東西，週四還有個演講，那別人就要說你週五和週末是沒有事的，你也可以來講課啊？我在想，我們什麼時候形成了這樣的一種慣性，就是只要有時間就要排上工作？我們大家已經順理成章地認爲，有一天的日子，就要工作，因爲工作是社會的需要，是你自己生存的需要。但這一切不是你自己心靈的需要。我們還有空閒嗎？

我想給整日忙碌的朋友一個建議，就是我們要活得內斂一點，回到我們的內心，看一看我們的內心眞正需要什麼。

我看到過一個有意思的故事。有一個人去看心理醫生，他說我的工作壓力很大，大到自己已經感覺得了憂鬱症。什麼症狀呢？他說我很怪，每天都不怕工作，我只要在工作的場合，大家都說我是優秀的、稱職的，大把的鮮花、掌聲，讚譽從來是不缺少的；但是我自己一個人的時候，會憂思惶恐，不知道何去何從，左一個念頭，右一個念頭，猶猶豫豫，徘徊不定，患得患失。所有這些掙扎的念頭弄得我食不甘味寢不安枕，這種日子長此以往，我覺得就要崩潰了，你怎樣給我治一治？

那醫生說，好吧，你看我們這個城市裡面，有一座大劇院，在這個劇院裡，有一位我們國家最優秀的喜劇演員。他每天都在表演自己最拿手的喜劇劇目，只要是看過他演出的人，都會開懷大笑、忘記得失。醫生說我先不給你用藥，你先去看他的演出，看上個十天半月，整個人的心智、狀態全都調整好了，你再來，我再給你治病。

聽完這番話以後，這個病人很久很久都沒有說話，他抬起頭來的時候淚流滿面，他說我就是那個喜劇演員。

大家想一想，這是不是我們自己？這個社會有一種規則，就是人的社會地位越高，他的喜劇屬性越強。尷尬嗎？無奈嗎？

每天早晨，我們用職業的笑容、職業的裝束打扮起來一個職業的自己，遠離內心，進入職業角色，想著拿起公事包，裝好名片。這個時候，你是名片的附庸，名片上面寫著一個職稱、一個身分。這背後是薪水，是穩定的社會角色，你要爲它去表演。

其實一個人的外在和內心，就好像我們見到的老式鐘錶，下面有一個鐘擺，如果一個人內心的鐘擺角度大，他的外在角度也就大，一個人越是忙碌，他的內心就越掙扎，其實這就是每一個現代人心中的不甘和無奈。我們都像那個演員，有自己的職業身分，我們的業績可能是優秀的，但另一方面，我們的心能因爲外在的掌聲和鮮花眞正安頓嗎？

每個人都有他的社會屬性，關鍵是當你把社會性的這一切都擔當起來之後，「自己」還在嗎？其實，每一個人都是在多元的角色裡面穿行而過，但最不能遺落的，最重要的，只有自己。如果說我們連自己都已經丟了的話，那到底是爲了什麼呢？所以在這個社會上，周而復始有很多的迴圈，日復一日，年復一年，光陰流轉之間，最難抓住的是自己安靜的心。

李白的狂歌空度日

好多朋友都在說我《論語》講得好，但在很多私下場合，坦率地說，我更想和大家多分享一些讀《莊子》的心得。

《論語》和《莊子》，一個教我們入世，一個教我們出世。王國維在《人間詞話》裡面有句話說得好：對於這個世界，就像是寫詞一樣，要先「入乎其內，故有生氣」，而後要「出乎其外，故有高致」。每一個人在社會層面上先要承擔，完成一個社會角色的融合，這是自我實現；但同時要跳出這個角色，完成一種生命的優遊，在這種優遊的層面之上，人是能夠成爲大用之才的。

其實貫穿整部《莊子》的就是一個「遊」字，逍遙遊之遊。我們現在有很多旅遊團，可以去度假、去旅遊，但恕我直言，我們現在的旅遊團往往給大家的是有「旅」而無「遊」，也就是說什麼什麼之旅，旅行社告訴你這一天遊多少景點，到了一個地方，然後給大家二十分鐘下去拍照，二十分鐘之後再回到車上來。拍照重要嗎？以今天的電子技術，我們即使沒有到這個地方，何嘗不能把自己拍上去呢？一切都是可以實現的。關鍵是那個地方有我們心靈的遊歷嗎？

眞正的遊，是一種深刻的體驗。所謂「體驗」，是要以身體之，以血驗之，以一種赤子之心全情投入。這樣的一種專注，我們今天還有嗎？大家會說，首先我們沒有那麼多的時間，其次我們也沒有那麼優閒的心情。我們被事情追趕，我們會覺得趁著年輕多賺點錢吧，上有老下有小，我們總要爲日後的光陰做點儲備。但是儲備到最後呢？其實消耗到最後的時候，我們會發現，我們已經失去了生命的質地。

莊子給了我們一種概念，就是這個世界上，對生命首先要尊重，在成長中體會、昇華，把無用視爲大用。也就是說，今天的社會可以少一點有用，多一點無用的光陰，無用的光陰指向快樂。我們可以不追求利益，可以不負載價値嗎？我們可以勇敢地說，這就是我們心靈追求的一種狀態嗎？我想浪子浮生，我想面對優閒的光陰，而不去做事，這是我對自己的一份寬容。其實，如果有這樣的一份心情，這個人在今天很勇敢，不容易。

下面，我們來探討這樣一個概念：什麼樣的生命是快樂的？

一個人的內心世界能有多大呢？莊子在《逍遙遊》裡面寫了小大之辨，說小可以多小，大可以多大。大可以化爲鯤鵬。「北冥有魚，其名爲鯤，鯤之大，不知其幾千里也。」這是什麼？這是生命的蟄伏與藏匿，身翔淺底，在一個淵底，是生命的聚斂。但是人格要成，就是要「怒而飛」，在遷徙的季節騰空而起，摶扶搖直上九萬里長空，「絕雲氣，背青天，然後圖南」。在牠的一路上，展現的是生命的自信豐滿，牠以一種緘默的姿態劃過天際，超越人間滄桑去赴一個理想之約的時候，你以爲這個世界會靜觀其變嗎？會有很多世俗的比較和標準來責難牠。有什麼呢？有蜩，就是今天我們說的知了；有學鳩，就是今天我們說的斑鳩；還有很多的小麻雀，牠們唧唧喳喳地說，你瞧咱們也能飛啊，叫做「我決起而飛」，我也能飛起來，翱翔蓬蒿之間。你看，寫得多生動：我們就算是在蓬蒿之間也可以翱翔了；「此亦飛之至也」，這不就是飛翔的極致了嗎？「彼且奚適也？」你還想飛到哪兒去呢？

其實這個世界上永遠只有燕雀笑話鯤鵬，你不會看到鯤鵬笑話燕雀，牠沒有這個心情。鯤鵬的境界、燕雀的境界，是不是就是我們今天人間心胸的大與小呢？

大家都知道詩仙李白，但你知道李白是個什麼樣的人嗎？面對李白的一生，我們能夠去欣賞他嗎？在今天，李白的價值不在於他的文學，而在於他的精神氣象。李白的人格能有多大？李白一生大多數時候的物質條件其實是極爲匱乏的，但是你看他的生命空間，他高興的時候說：「人生飄忽百年內，且須酣暢萬古情。」說我高興起來、喝起酒來萬古長情，酣暢淋漓。他發愁的時候、不高興的時候會說，自己不得意，「五花馬，千金裘，呼兒將出換美酒，與爾同銷萬古愁」，一個人悲歡皆爲千古啊！

他看這個世界，也是風景。他看見什麼？他說：「登高壯觀天地間，大江茫茫去不還。

黃雲萬里動風色，白波九道流雪山。」看一看他看見的這一天地，大江茫茫都流蕩在天地之間。他看風景，他又看出了什麼呢？很多人去過岳陽樓，黃庭堅說：「未到江南先一笑，岳陽樓上對君山。」君山那麼美的一個地方，李白嫌礙眼，說給我鏟了，他說：「剗卻君山好，平鋪湘水流。巴陵無限酒，醉殺洞庭秋。」一個人的一壺酒可以沉醉整個秋色嗎？那你要問問這個人的心有多大。

所以李白想去任何地方，都可以說「狂風吹我心，西掛咸陽樹」，大風都把心颳走了；李白想上山入地，就可以說「太白與我語，爲我開天關」，他就上天關了；李白要是發愁的時候就說「白髮三千丈，緣愁似個長」；他形容下雪都敢說「燕山雪花大如席，片片吹落軒轅台」。所以，李白這樣的一個人，他這一生困頓坎坷，當然他也有過榮耀，比如說，他進宮的時候，用杜甫的話來說就是「天子呼來不上船，自言臣是酒中仙」，高興的時候天子來了都無所謂的。

他在大唐宮中得了三年的翰林供奉，但是他幹過什麼呢？我們眞正去查史料的話，發現他一點正事都沒有做。什麼貴妃捧硯、御手調羹、龍巾拭吐……都是一些不著調的事。他把宮廷當成一場豪奢的審美穿越了。

他本來是入宮了，終於見到天子唐玄宗了，兩個人挺投緣，他挺喜歡唐玄宗，所以他給唐玄宗寫詩。寫什麼呢？「夫子紅顏我少年，章台走馬著金鞭。」我帶你玩去吧！其實這話多麼不著調，他入宮的時候四十二歲，唐玄宗六十多歲，一個四十多歲的人對一個六十多歲的人說「夫子紅顏我少年」，我可以帶你玩去了。這裡沒有天地君臣的尊卑，也沒有年齡的差異。其實在我的眼中，李白從來沒有過暮年，就如杜甫從來沒有過青春。人的生理年齡和心理年齡不是一碼事。杜甫在那麼年輕的時候，一看到花開爛漫，一個蓬勃怒放的春天，他會想到什麼？他說：「花近高樓傷客心，萬方多難此登臨。」他一登樓看到的都是萬方的苦難。由此來看，一個人的價值觀會決定他的生命狀態。

一場安史之亂，李白是怎麼經歷的？宮中的人都跑了，他也跟著跑，往北跑，到了扶風遇到一個豪士請他喝酒，一高興就寫了一首《扶風豪士歌》，跟陌生人就坐下喝酒，不走了。李白在那裡說：「撫長劍，一揚眉，清水白石何離離。脫吾帽，向君笑。飲君酒，爲君吟。」咱們就在這喝酒吧。帽子一摘，長劍一放，行了，這個地方，天地變亂，皆在身外。這是什麼？這是一個人主觀心靈的能量。我們今天只看到了詩仙的飛揚，但我們不知道詩仙的內心。李白這個人從十五歲仗劍遠遊，在他整個行遊天下的時候，他是一個仗劍的行俠。他的人生只有六個字，叫做「不屈己，不干人」，一方面不委屈自己的心，另一方面不去求人拜人。在這一點上，杜甫不如他。杜甫說自己「朝扣富兒門，暮隨肥馬塵」，他還是有這樣的經歷。但李白是不願意屈心抑志的，所以李白也不參加科舉，做官也沒有個做官的樣，他也不求青史垂名。

李白這一生，連他的家鄉也不追問，只要有好酒，處處皆是故鄉。他說：「蘭陵美酒鬱金香，玉碗盛來琥珀光。但使主人能醉客，不知何處是他鄉。」有酒的地方人就酣暢了，心就安寧了。這就是他對世間的穿越。

李白終其一生，「筆落驚風雨，詩成泣鬼神」。到老了，杜甫去看他，問他你這一輩子還有什麼遺憾啊？人生總歸要有點遺憾吧？他想了想說，我看晉代葛洪寫的《抱朴子》，都是那些求仙求道煉丹的事，可我這一生啊，怎麼就沒煉成丹呢？我很對不住這個葛神仙啊！在杜甫這樣一個「窮年憂黎元，嘆息腸內熱」的人來看，這個觀點太不著調了。但杜甫的心眼兒很好，他能理解朋友，他倆只差十一歲，兩個人一直非常好，所以杜甫最後就給李白寫了一首小詩，說人生晚秋，我來看你，你還像蓬草一樣飄零，問你有什麼遺憾，你偏偏覺得自己愧對這麼一個煉丹之人。你這樣的一個人在我看來是什麼人呢？所以他的詩說：「秋來相顧尚飄蓬，未就丹砂愧葛洪。我自狂歌空度日，飛揚跋扈為誰雄？」也就是說，李白這一生傲慢，飛揚跋扈，無所羈絆，是為什麼？因為他是一個獨立天地間的英雄，不為其主，這才是真正的生命。

今天的我們，心有羈絆，不要說「天子呼來不上船」，老闆叫你夜裡三點去，你叫車都得去，你敢說你不去嗎？李賀的詩說得好：「不須浪飲丁都護，世上英雄本無主。」其實世間真正的英雄，都是為自己的心而活著。所以會有那麼多文人嘆息自己生不逢時，沒有被別人賞識，就是因爲他不知道自己獨立生命的價值。

李白說：「一身獨爲客，萬里無主人。」行遍千山，這就是他的一生。他可以一生爲客，人人都不願意做客子，都願意有故鄉歸屬，但李白不在乎，對他來講，流浪也是一種歸宿。一生無主人，唯其無主，他才可以這樣，他才眞正能夠做到「興酣落筆搖五岳，詩成笑傲凌滄洲」。這樣一種仙風傲骨，一直是他的標誌。

別把一生活成符號

人的態度會決定他的生命。

如果說仕途是一座高山，面對這樣的一個高山，怎麼過去呢？

面對這樣的情況，中國的文人，大致可以分成三種狀態。

第一種人應該占百分之九十五以上，就是老老實實、規規矩矩在穿越山巒的隧道中蝸行摸索；有些人到了二分之一的地方，有些到了五分之四的地方。屈原、杜甫、白居易……這些文人都是這樣去穿越的。他們家國擔當，他們赤心報國，他們把天下興亡都負在自己身上，他們崇高單純，但他們的生命，其實是爲了一種責任而隕落的。所謂「了卻君王天下事，贏得生前身後名。可憐白髮生」，把自己的一生活成一個「符號」，這是絕大多數文人主動選擇的。

但還是有那麼幾個，從那條隧道穿了出去，走到了另一端，比如陶淵明，比如王維，比如蘇東坡。他們是終於洞穿了這座山巒，走到那一端的時候，重新看見了赤子天尊，看到太陽的光明。這樣的路有長有短，陶淵明的路最短，八十三天，從官場中出來了。蘇東坡一生浮沉。王維呢，從十八歲中進士，二十歲舉大樂丞，做王右丞，然後矢志再上，最後幾經浮沉，到一世末朝，再回來做到尚書右丞。王維一生榮辱滄桑，到晚年寫禪詩的時候，他說：「一生幾許傷心事，不向空門何處銷？」對今天的人們，對所有在自己的職業崗位上辛苦勞作的人來講，其實有很多的古人相伴，他們的日子也不輕鬆。

只有李白是沒有進過隧道的人，他是從山上飛過去的。因爲他有一雙翅膀，一邊是酒，一邊是詩，他可以憑藉詩情酒力，從山上飛越而過。終其一生，天眞而光明，他是沒有穿越過黑暗的人。余光中先生的《夢李白》，我以爲是當代詩中寫得最好的。余先生的詩說：「酒入豪腸，七分釀成了月光，三分嘯成劍氣，繡口一吐就半個盛唐。」半個盛唐怎麼能成於一人之口呢？那是因爲這個人心大呀！

人終其一生，可以有很多職業，值得全心經營的只有一樣東西，就是我們的生命。我記得小時候下圍棋，開始學的時候，小心翼翼一個子點在那兒，啪，對手一個子跟上來，馬上要緊緊地貼住，人家再來封你一個眼，馬上又緊緊地貼住。所以剛開始學圍棋的孩子，都是在那裡「捲羊頭」，就那一小塊，捲到最後是什麼，這就是牛角尖，整個棋盤其他地方都放棄了。再往下學，師傅會教你，你先要掛子，先要謀篇布局，把整個的格局做起來。一塊死了，還有別的眼可以做活，你總歸有幾塊是可以做的。這是什麼呢？這就是生命的座標。

所以我以爲，我們生命中最重要的不是當下的職業和目前取得的成績，而是你的生命還有其他的可能嗎？人的一生，可能性的價值永遠比確定性的要大。其實，當我們說「我就是什麼」的時候，就意味著放棄了很多的夢想。《論語》中說「君子不器」，器皿的器，說眞君子不要把自己拘於一時，拘於一地。我想「君子不器」包含兩個概念：第一就是眞君子，不要做一個固化的器皿，不再有新的造型；第二就是君子不要做一個小氣之人，要大氣。

很多概念我們都已經耳熟能詳，但都眞的做到了嗎？很多時候，我們只是擁有了皮毛。比如說，所謂「文化人」，按《周易》的說法，所謂「文化」，是「關乎人文，以化成天下」。人文之「文」，原來通假花紋之「紋」，在《說文解字》上的意思就是觀察世間百態，把百態雲集，了然於心，再去廣播天下，賦予它一個理念。

我們今天的文化最缺什麼呢？如果讓我說，今天是「文而不化」的時代。有那麼多作家、作者著作等身，但是所有這些文字意味著它的主人們一定臻於化境了嗎？有那麼多人著作等身，名片上的頭銜很多，但是他可能仍然心有戚戚，斤斤計較，生命不從容，氣概不坦然，情懷不深刻。這種人很多！在今天，拿一個博士的頭銜，拿一個博士後的頭銜，難嗎？其實頭銜什麼都不代表，它不代表我們的胸懷和快樂。所以，「文而化之」才是當今文化界的使命。

再比如商界。其實在商界，恕我直言，大家都在追求富貴、富貴，但普遍的現象是「富而不貴」。富庶是容易衡量的，有金錢的標準擺在那兒，數字說明一切，但是不一定會帶來生命的尊貴啊！一個眞正的富貴之人，內心會有一種氣節，眉宇軒昂，他會表現出一種坦然淡定，他對社會會有一種深刻的悲憫，對社會有他自己持久的回饋，他會用默默的行動讓內心獲得快樂和安寧。其實，這是生命的貴氣。

文而不化，富而不貴，我們這個社會上，好多概念只進行到了一半。這是因爲什麼呢？我想，在今天，我們眞正需要的是一種生活方式，在對這種生活方式的學習和完善的過程中，每一個人最終找到自己。對於自我的這種尋覓，可能是終其一生的一個歷程。

比如陶淵明，他年輕的時候其實也想做官，他也滿世界去找人打聽，說：「聊欲弦歌，以爲三徑之資可乎？」我要養家餬口啊，誰能給我找份差事，讓我有點「三徑之資」，種種花草？別人就推薦說，那你去做個縣令，他說遠的我可不去，人家說離你家很近，就是彭澤。好，他就去了彭澤，當了幾天縣令以後就很不高興，但是他又不敢走，要等薪水，說還是等結了帳再走吧。再等了幾天呢，遇到上級領導來檢查工作，相當於現在的地委一級去縣裡視察，領導就通知他第二天穿正裝，說「應束帶見之」，相當於今天穿西裝配領帶。就爲了這麼一點事，他就覺得很不爽，他說我不能爲了五斗米就向鄉里小兒折腰。「不爲五斗米折腰」就是這麼來的。我爲什麼要屈心抑志呢？一不高興，自己把大印一解，扔下走了。這個時候，他寫了著名的《歸去來兮辭》。

《歸去來兮辭》不難懂，如果在一個優閒的下午，或安靜的晚上，大家一字一字地誦讀一遍，心情會和讀之前大有不同。

《歸去來兮辭》我大概是七八歲時背的，但一直到最近兩年，我每次讀的時候都會有新的認識和感慨，因爲人不「穿越」是不會眞正懂得的。

那是一個多麼幽遠的自我招魂啊！他說：「歸去來兮！田園將蕪胡不歸？」自己家眞的要荒蕪了嗎？爲什麼荒蕪了呢？「既自以心爲形役，奚惆悵而獨悲？」什麼叫做「自以心爲形役」？就是我的心爲我的形體所役使，心靈做了身體的僕人。爲什麼我們的心靈會做了身體的僕人呢？一個簡單的原因，就是因爲我們的身體有欲望。我們在這個世界上，想要住豪宅，想要開香車，想要吃美味，想要賞五彩，世間的一切，我們被這個物欲世界伺候得太舒服了，我們的身體機能太發達了，所以只能「以心爲形役」。

這很像《莊子》裡的一個故事。莊子說南海北海有兩個帝，南海之帝曰倏，北海之帝曰忽。他們倆經常在哪碰面呢？就是中央之地。中央之地的帝王叫什麼呢？叫混沌。混沌就是一個大肉球，什麼都沒開。混沌待倏和忽特別好，每次都熱情款待，好得不行。倏和忽就想報答混沌，說咱倆怎麼報恩呢？二帝商量說，世間人皆有七竅，可以去賞五彩啊，聽至音啊，呼吸芳香啊。混沌這大肉球什麼都沒有，咱倆爲了讓他幸福快樂，弄個大工程，每天給他開一竅。結果七日之後，七竅開而混沌死，就在七竅全開的時候，混沌死了。

莊子在這個故事裡有很深刻的寓意，就是說我們對於願望的滿足，日復一日，無窮無盡，到最後我們終於說，齊全了，我在這個世界該有的一切都齊全了。這就像是《浮士德》中所寫的，歌德寫《浮士德》到最後感嘆一生的時候，終於圓滿，這就是他的靈魂要交給梅菲斯特的時候了。這樣的一個時刻，就是「七竅開」的時刻。

這就好像中國古代一個著名的寓言，說有一個大將，他一直希望有一張天下無雙的良弓。終於有一天，他拿到了千年紫檀木，壓在手上沉甸甸的，配上弓弦一拉，他覺得這就是他命中要得的良弓，是最好的東西了。然而，他覺得這個紫檀木有點乏味，所以他就想，能不能給它加點花紋？他招了天下的能工巧匠，在弓上面刻了花紋，覺得不錯了。再拿在手裡一試，又覺得花紋太樸素了，配不上自己顯赫的身分，能不能在整個紫檀弓上刻一副奢華的行獵圖？要刻天上的飛鷹啊，地上的走兔啊，獵人怎麼去行獵啊，一幅華麗細膩的行獵圖把整張弓都刻滿了。然後他拿在手裡，說這就是我想要的了，這是最完美的了。他滿滿地拉開這口弓，「嘣」的一聲，紫檀木斷了。原來紫檀木在雕刻滿了花紋之後，已經失去了紫檀應有的韌勁兒，就像混沌被鑿開七竅之後失去了赤子之心。

當我們心爲形役的時候，有幾個人能意識到田園將蕪的回歸呼喚？陶淵明就這樣回去了，扔下了他的薪水俸祿，扔下了他的官印。但是他得到了什麼呢？他說：「悟已往之不諫，知來者之可追。實迷途其未遠，覺今是而昨非。」過去的事情已經不對了吧，那麼今天是對的，昨天是錯的，從今天開始。所以他都沒有等到天亮就出發了，他在奔回去的路上吟道：「舟搖搖以輕揚，風飄飄而吹衣。問征夫以前路，恨晨光之熹微。」衣袂飄飄，像仙人一樣跑回去。「乃瞻衡宇，載欣載奔。童僕歡迎，稚子候門。」何等歡欣。

他家這個小院子，這樣受過羈絆的人再回來，就有知足之心了。他可以「園日涉以成趣，門雖設而常關。策扶老以流憩，時翹首而遐觀」，他說我們家有門也不用打開，我用不著去外面的世界，我有這樣一個心靈田園，夠了。他家有多大呢？他叫做「倚南窗以寄傲，審容膝之易安」，我就在自己家的窗台底下往那一靠，我這一身傲骨就有了依托。我們家的斗室叫「容膝」啊，也就是坐下剛剛可以容納身體這點空間，「易安」，心就可以安頓了。

我們今天老在說，生命是沒有止境的，但其實「有所止」，也是一份清寧的快樂。陶淵明多「有所止」啊，他說我在家裡面，一切都是我的生活之樂，給我一點淺淡的陽光，生命就可以璀璨無極。他說：「坐止高蔭下，步止蓽門裡。好味止園葵，大懽止稚子。」「坐止高蔭下」，如果我想找個地方坐下來，讀讀書啊，養養心啊，也不用多麼奢華的地方，那時候也沒有酒吧、咖啡館這樣的地方，他說我就只要找到個樹蔭地方坐下來，心就安了，就可以讀書了。「步止蓽門裡」，我要想散散步的話，就在我們家的柴門小院裡面散散步，就滿意得不得了。「好味止園葵」，天下最好的美味，就是自留地裡那些無公害的蔬菜，脆生生地拔出來，就很好了。而天下最大的歡樂是什麼呢？那樣一種溫暖、富足、細膩、悲憫，那樣的一份情懷，叫做「大懽止稚子」，兒女繞膝成歡，看著自己的小孩子，這是生命最大的歡喜。其實我們想一想，他說的幾樣事，誰家沒有？可是我們有快樂嗎？我們唯獨沒有他的快樂。

陶淵明那個家，在他寫的《五柳先生傳》裡，他說我們家是「環堵蕭然，不蔽風日」，我們家牆四白落地，不遮風不避雨；穿的衣服叫做「短褐穿結」，就是補丁摞著補丁；看看家裡的水缸、糧食缸，「簞瓢屢空」，什麼東西也沒有。但是「晏如也」，我過得陶然自樂。爲什麼呢？

「常著文章以自娛」，不爲發表，不爲職稱，也不是爲了娛樂他人，我爲了自己的心智，自娛自樂。寫文章就是爲了自娛自樂，然後在文章中忘懷得失。他說我在讀書的時候，也不考據，也不爲了什麼東西，所以叫做：「好讀書，不求甚解；每有會意，便欣然忘食。」

我們小的時候，家長總在把「不求甚解」四個字當做貶義詞來敲打我們，但實際後面還有半句話叫「每有會意」，就是那樣一番悠然心會，貫穿古今，懂得了書中的興味，可以「欣然忘食」，連飯都忘了吃，這不是大歡喜嗎？陶淵明從來不讀功利之書，他讀閒書，他讀《周天子傳》，他讀《山海經》。讀出什麼樣的境界呢？他說：「泛覽周王傳，流觀山海圖。俯仰終宇宙，不樂復何如？」其實，「不樂復何如」是讀書中最高的境界。讀書是爲了獲得快樂，像我們今天爲了要考一個文憑、要發一個文章，就惡補，把這本書硬讀下來，那是無樂可言的。我們今天這個世界，如果少一點功利目標，多一些隨心所欲；少一些用腦子的生活，多一些心靈的生活，也許就會有一種根本性的改變。

陶淵明的日子是什麼呢？就是可以把一份窘迫困頓過出洋溢天地的歡欣。「采菊東籬下，悠然見南山」，悠然之間，南山自現，是不用去追尋的，是自然在那裡的。不過，你的心不閒，你就看不見。可以說，陶淵明那一輪斜陽，溫暖了後世所有帶霜的菊花。但是，他給我們留下的這方田園，我們心裡面還有嗎？

比一比古人，古人多麼驕傲，《南史・隱逸傳》裡面說：「潛不解音律，而畜素琴一張。」陶淵明這個人，從來不懂音律，然而自己弄了一張琴，叫素琴。這琴素到什麼樣呢？就是一根琴弦都沒有，說白了，不就是一段木頭嗎？就弄這麼一張素琴。他自己稍微有點錢就買酒，不論貧賤，呼朋喚友，大家來喝酒。結果別人還沒怎麼喝，他就已經喝多了，涕泗橫流，又轟客人說：「我醉欲眠卿可去。」我已經喝醉了，要睡覺了，你們走吧。他撫弄一段木頭，喝多了就轟朋友，放在我們今天的人情世故裡面看，這樣的人一定是不大懂事的狷狂之士。但是這裡面的心境誰要是能懂得，那就眞是他的千古知音！

李白幾百年後寫了一首小詩，他說：「陶令去彭澤，茫然太古心。大音自成曲，但奏無弦琴。」說陶淵明自從辭了彭澤縣那一刻，他的赤子之心，已經茫然混沌，回歸太古。天籟之音都在人心裡，明月清風，花開花落，這些聲音我們能聽見嗎？如果我們眞能聽到它儲備於心的時候，「大音自成曲，但奏無弦琴」。一段沒有琴弦的木頭，也能流出心中的音樂，所以李白眞可謂「畫龍點睛」。

陶淵明說「我醉欲眠卿可去」，這不就是一句俗語，不就是簡單的轟客人的事，但是改一字續一句，興味就可以變得完全不同。李白說：「我醉欲眠卿且去，明朝有意抱琴來。」你看，這一句，相隔幾百年，續上了這麼一番人生況味。

其實對詩詞意境的領悟，不在於我們有多高的文學修養，而在於當我們的生命擁有一片海洋，當我們在裡面被浸潤的時候，是不是總有一些古人的血脈可以流入我們的內心？

杜甫懷念宋玉，他說：「搖落深知宋玉悲，風流儒雅亦吾師。悵望千秋一灑淚，蕭條異代不同時。」每每到秋風搖落樹葉，我心中就會深知宋玉的悲戚。因爲宋玉是寫過《悲秋賦》的，所以杜甫說在這個時候，我可以一眼望斷千秋，爲他灑一掬之淚。爲什麼？因爲「蕭條異代不同時」，但是，每有秋風起，人同此心來。我們今天還有穿越古今的能力嗎？

完成一場豪奢的逍遙遊

在這個資訊異常豐富的時代，我們有很多的書可以讀，我們也讀了很多書，但其實書不在於讀多少，而在於有哪些部分眞正以生命的名義進入了我們的血脈，成爲我們的救贖。眞正的閱讀方式，閱人閱世閱山川，我們可選擇的閱讀方式太多了。

古人彈琴，會在千山萬壑之中，「撫琴動操，欲令眾山皆響」。也就是說，他眞正彈琴的時候，千山萬壑，松風浩蕩，都爲他而響。古人畫畫，特別是魏晉人畫畫，老師帶學生，「著素絹於一敗褥之上」，就是找一牆破墻，把白緞嘩的就給掛滿了，然後帶著學生看。在這之前是學習，帶著學生去山川萬物之間轉，轉回來就在這兒，看得千山萬壑自胸臆中奔湧而出，刷刷刷一蹴而就，畫出來的是心中山水。我們可以說，中國畫沒有透視關係，沒有明暗對比，山水畫家不像達文西畫蛋一樣受過嚴格的訓練，但中國人就有潑墨大寫意之術。

眞正的潑墨揮灑，需要什麼樣的心呢？唐代大畫師張璪有八個字，叫做「外師造化，中得心源」。什麼是造化？天地山川，一花一世界，一葉一菩提，皆爲造化。也就是說，所有一切都是老師，向外以它們爲師。但是更關鍵的一點叫做「中得心源」，就是自己的內心要有一個活水的源頭。有心源的滋養，再把外在的點化，那你就會永遠進步，你就能對世界保持那種新鮮的、敏銳的、亮澤的感受能力。石濤畫畫時說：「吾寫此紙時，心入春江水。江花隨我開，江水隨我起。」他畫的是什麼？是他心中的花開怒放啊！

我們今天的世界，當物質極大豐富、資訊無限延伸的時候，有一種悲哀，就是我們少了人的主觀能力，越來越少了內心的那種自信、豪奢和優游。其實我想說，從古人的身上，從閱讀中，我們應該學到這樣一種方式，用莊子的話說，叫做「乘物以遊心」，也就是說，我們把人世間的萬物穿越，穿越之後達到心遊萬仞。每一件事都是可以穿越的。

《菜根譚》有一句說得很好，它說：「風來疏竹，風過而竹不留聲；雁渡寒潭，雁去而潭不留影。故君子事來而心始現，事去而心隨空。」什麼意思呢？

「風來疏竹」，竹林一陣清風吹過，從中間很疏朗地穿過去了；「風過而竹不留聲」，竹子不是答錄機，風過聲音自然就穿過去了。「雁渡寒潭」，大雁在寒潭上飛過時，留下了影子；「雁去而潭不留影」，當大雁遠去，那個潭谷也不是照相機，重新歸於空寂。「君子事來而心始現」，這是什麼？是我們的職業化態度，一事當前，比如說一筆生意要你做，一個課題要你完成，任何一個職業的使命擺在眼前的時候，好好地把它做好，這就叫「事來心始現」，需要你去做的事情你就把它完成好；但後一句說「事去而心隨空」，事情是事情，終究會過去，不要事情過完了，還礙於心，久久不去。怎麼樣才能達到「乘物以遊心」，達到穿越呢？人的職業怎樣和自己的心靈結合呢？就是「職業化」，把事情做好，做好就完了。

人永遠活在當下，指向未來。當下是我們生命的時間座標，是最重要的一個時刻，因爲所有的過往都是可以慢慢地去回味和緬懷的，所有的未來都是可以悠悠地去憧憬和夢想的，但所有的當下都是倉皇流失的，充滿遺憾與迷惑。人在當下如果能做到「事來心始現，事去心隨空」，那就完成了一種穿越，完成了「乘物以遊心」。

有個佛家的小故事說得很有意思，其實說的就是我們內心的在乎。

有個小和尚和他的得道高僧師傅出去化緣。一路上，小和尚覺得師傅處處說得對，處處做得好，對他敬仰有加，內心無比敬畏。他們到了河邊，看見一個姑娘想過河，試試探探老過不去，老和尚就問她，你是不是想過河？我背你過去。老和尚背起姑娘就走，到河對岸，把姑娘放下，接著往前走。小和尚瞠目結舌，覺得不合適，又不敢問，就這樣在心裡嘀咕了十里地，嘀咕到了二十里，還不知道怎麼開口，嘀咕到了三十里，他實在忍不住了，於是說：「師傅，我怎麼也想不明白，一個得道高僧，怎麼能抱女人過河呢？」師傅對他說：「你看，我把她抱過河，馬上就放下了，你比我多抱了三十里地，到現在還放不下。」

其實我們大家想一想，人這一生做過的事多事少，和我們的心重心輕不成正比。有些人一輩子就做一件事，但一生籠罩於心；也有人一生千山萬水，衝擊而過，心無礙。所以禪宗有一句偈子說得很好，叫做「千江有水千江月，萬里無雲萬里天」。什麼意思呢？說我們的一顆心在乎與不在乎的區別，如果在乎，心似千江水，天上只有一輪月亮，但是千江有水千江印月，處處皆有這一個月亮。一旦放開了，心似萬里晴天，不掛一絲雲彩，也就是「萬里無雲萬里天」。其實，生命的流光都一樣長短，我們的一生，容量能不能大，心思能不能寬，就看我們能不能完成「乘物以遊心」，能不能完成一場豪奢的逍遙遊。

前半生不要怕，後半生不要悔

道家有一個觀點，叫做「天地有大美而不言，四時有明法而不議，萬物有成理而不說」。這個世界上，言者不智，智者不言，眞正的道理不是說出來的，而是「天地大美」，自己的心在穿越中的體悟。所以，多一點非功利之心，多一點生命優閒的時光，讓自己在空靈之境流動起來，也許就是對自己生命最大的款待。

蘇東坡說陶淵明一句話：「以無事唯得此生，一日無事便得一日之生。」說像我們這樣「終日碌碌者，豈非失此生也？」他說我們每天都忙碌，這一生就好像沒過一樣，因爲是「無事得此生」嘛。所以，無事無心做出來的是天下最好的東西。

讀陶淵明的詩，元好問說：「君看陶集中，飲酒與歸田。此翁豈作詩，眞寫胸中天。」陶淵明寫的詩的題目都難嗎？不是《歸園田居》，就是《飲酒》，一本陶集拿出來，就是飲酒、歸田，所以說「此翁豈作詩」，你以爲這老頭兒作的是詩嗎？「眞寫胸中天」，他是在抒寫他胸中的一片天地。

其實文學不是技巧，它是一種氣概；人生不是一段閱歷，它是一種胸懷。我們的態度永遠會決定我們的行爲，我們的內心永遠會決定我們的世界。古往今來，歷史上的或者文學著作中的這些人物，以他們的詩詞，以他們的書籍，以他們各式各樣的方式，終會彙成我們生命中一個溫暖的朋友，一種篤定的生活方式，會成爲我們內心的一份自信，當我們面臨抉擇的時候，想起一個名字，這個名字就會給我們一種氣概、一種勇氣。我也希望我們每個人，眞正能夠在古往今來的人生裡面都找到一個生命的參照座標，讓我們有一份眞正的驕傲。這種驕傲不爲外在的物質所役使，也不爲他人的標準所動搖。

《莊子》裡有一段話說得好，叫「舉世譽之而不加勸，舉世非之而不加沮，定乎內外之分，辨乎榮辱之境，斯已矣」。「舉世譽之」，當全世界都誇獎你、褒揚你、讚賞你的時候，說你都已經這麼輝煌了，再走一步，你會得到更高的職位、更好的薪水、更輝煌的名譽，往前再走一步吧，而這個時候，我自己「不加勸」，我適可而止吧，不再往前走了，這叫「舉世譽之而不加勸」。但是我們還會遇到無端加之以辱啊！比如說全世界都在責難你，都在怪你不是，這叫「舉世非之而不加沮」。全世界的非難都激不起內心一絲漣漪，生命從容坦蕩、快樂光明，毫無沮喪，這容易做到嗎？

做到這些的前提叫做「定乎內外之分」，就是知道有外在的一萬個聲音，十萬個聲音，它也只是一種「外在」而已。內心只有一個聲音，但也是一種，就是你的內心。你的內心篤定與外在有一個「分辨」，就可以「辨乎榮辱之境」，寵辱不驚，「斯已矣」，生命到這般境界，大概也就可以了。

生命中還有一種態度，叫做「盡人事，知天命」。我們能做到的事情就做到，但是不較勁，接受一切結果，並且在結果中找到最好的可能。在這個世界上，很多事情不是簡單的黑與白、是與非，我們要找到一個中間地帶。「知天命」是什麼呢？就是我們洞悉了很多的眞僞，了解了很多客觀的規則，所以我們的心可以鎭定。「盡人事」是什麼呢？凡事去做，盡可能在當下做好。

我看到過一個故事，在一個古老的部落裡，世世代代過著非常穩定的生活。但是有一任優秀的酋長，發誓要讓他的孩子們、部落的年輕小夥子們都走出去，到外面的世界上去闖一個新的天地。他對那些孩子們說，你們都走吧，把你們的父母、妻子、孩子都交給我，你們盡可能走到世界上去，也許你打破了原來穩定的秩序，但是你多了一種生命的可能。他說我給你們六個字，前三個字先寫給你們，都帶著走，在遇到困頓的時候都看一眼，去闖蕩你們的前半生；後半生回來取後三個字。

這些孩子都走了，當他們一次一次經歷磨難的時候，打開紙條就只有簡單的三個字，就是「不要怕」。什麼事都不要怕，往前走，你總有一天會走出一條路來。人在最困難的時候，總有一句話，叫「不要怕」。其實這是什麼？就是「盡人事」，只要有一線光明，一線生機，堅持堅持再堅持。

幾十年過去，很多人成功了，在各個領域裡面取得了成功。等到他們回來的時候，老酋長早已過世，但是他留下了後三個字，說等他們回來的時候再打開。這後三個字是「不要悔」。也就是說，人的前半生「不要怕」，能有可能的一切都去做；後半生「不要悔」，所走過的每一步都值得，人生沒有彎路可言，接受一切結果，這就是一種坦然。

千刀萬剮，終於成佛

大家都認爲我是講《論語》講出了名了，但我不止一次說過，相比《論語》我更喜歡《莊子》。實際上，儒釋道三家之中，我對道家的喜愛甚於儒家，但對於釋、對於佛的喜愛又甚於道。

這是爲什麼呢？其實，我把儒釋道三家，看作是我們生命的不同層面。儒家永遠是作用於社會的、公眾的，因爲它讓我們在一個世界上要進入和承擔。爲什麼儒家能夠在中國風行最廣？因爲它可以作爲統治術，它也可以作爲精神依托，它還可以作爲日常生活的準則。儒家教給我們的，是日常生活中人與人之間的和諧相處，和而不同，達到一種制衡。但是道教，更多的是在精神層面上，也就是說，它有哲學意味，它作用於個人的生命內心。而佛就在更高的層面上，它在靈魂層面，它是非常個人化的一種生命反省和儀式。所以，在這個意義上來講，儒道釋三家，我認爲不矛盾，它們有不同邏輯起點、不同生命層面。

弘一大師曾經說過，人的生命是三個層面，也就是說，眞、善、美不在同一層面上。物質生活在最下層，是主眞的；再往上一個層面，是精神生活，是主美的；最高一個層次是靈魂生活，是主善的。宗教感是在最高的，在金字塔塔尖上，它也許占掉我們的生命時光最少，但是它質量很大，它並不要求我們每一個人都遵從宗教的儀式，但我們內心都要有一種叩問靈魂的覺醒。從這個意義來講，儒、釋、道其實可以打通來看，互爲表裡，成爲我們人心的一種託付。

在我看來，天地人三才，我們能達到一個什麼樣的境遇呢？就是在這樣一片土地上，作爲一個聖賢去行走，更多地奉行儒家的原則；而在我們頭頂的天空上，作爲神仙去遨遊，更多地奉行道家的精神宗旨。

什麼是佛？佛祖曾經回答他的弟子，說「無憂是佛」。自己的內心充滿了歡喜、寧靜、寬廣，沒有那麼多的憂思恐懼，那你就是佛。這和孔子說的「不憂不懼，是爲君子」，其實殊途同歸。也就是說，天地人三才，儒道釋的生命氣概是能夠打通的。我們不必過於拘泥，也不必說我一定信奉某一種宗教。我相信，人的生命是一個最大的化合反應，每一時每一刻，皆可進入生命深層。

我在《〈莊子〉心得》的序言裡面講了一個故事，是我自己十九歲時的親身經歷。

我當時讀大三，中文系的孩子嘛，有一次老師要帶我們去泰山。在我看來，中國的文人，有兩個地方不可不到，一個是東臨泰山，一是西向入蜀。入蜀，自古文人皆入蜀，那是一種奇山異水的生命陶冶；而東臨泰山，秦始皇、漢武帝，封天禪地之地，五嶽之尊，那是中國文人的人格成人禮。所以在我們大三的時候，老師帶我們去登泰山。

我記得，那是在一個夏天，我們是在凌晨開始登山的，從中路拾級而上。因爲要去看日出，夏天大概早上五點多鐘就可以看日出了，所以我們走得很辛苦；而且還相信一個詞，叫做「登高必自」，結果誰都不拿拐杖，年輕嘛，背著水壺拾級而上。那一路上，中路兩邊都是碑刻銘文，古聖先賢那些教誨全都肅穆寧靜，鋪陳其上。那一路上，你覺得聖賢的光芒一直都籠罩著，自己的生命受著一種責任的托舉。越走越疲憊，越走越滄桑，但越走生命越有負載，心中越有嚮往。就這樣，一路上晨光熹微，逐漸逐漸，朗日東升，走到山頂。你覺得這眞是一番洗禮啊，人文的教化、道德的託付，讓自己變得沉甸甸的了，但是在那一刻，你的生命終被成全。站在南天門之上，那個時候是眞的可以懂得什麼叫「士不可以不弘毅，任重而道遠」。眞是任重而道遠啊！其實這一條路，在我看來，就是儒家的踐行之路，它教給我們怎麼去行走，去接受思想的痛楚。

後來我們就下山了，決定在泰安休整一天，再過一天，我們要去曲阜。我那時候體力特別好，我聽說泰山還有一條後山的路，所以休息了一晚上，第二天大家都起不來，我早上大概七點多就一個人起來了，自己去找後山的那條路。

我現在還記得，我當時是獨自攀岩。上世紀八〇年代，泰山後山的路經常是斷的，沒有修好。一路上，除了挑夫，基本上見不到遊人。我在那條路上，幾乎是手腳並用攀爬上去的，而且也沒有經驗，穿短袖T恤、短褲，結果弄得四肢鮮血淋淋，全是口子。這樣一路上去，路上鮮有碑銘，也沒有別人的陪伴，沒有老師，沒有同學，我看見的，叫做「天地有大美而不言」。那樣一座夏天的碧山，蒼松翠柏，蓊蓊鬱鬱，山花爛漫，開得不計成本，生命恣情，那樣的一種放縱豪奢，從來沒有人修剪。那個時候就覺得，四時萬物，千年百代，就是這樣一座蔥蘢碧山。一路走上去，結果發現，前山一條路，後山一條路，最終交會在一點。在南天門，一副對聯寫著「海到盡頭天作岸，山登絕頂我爲峰」。

其實，儒是一條路，道是一條路，釋是一條路，我們走哪條路都不重要，重要的是走到最後不丟了自己。看到大海有涯，仍然蒼天作岸，延伸出去；山登絕頂，不是你征服了山巒，而是各種山巒終於把你托起來，融鑄成山上的巔峰。其實這就是人格，這就是我對儒、道、釋的解釋，它在我的心裡，不是一時，而是一個篤定的生命信仰。

有人說我們現在是思想眞空，要用儒家的理念來構建一個思想體系。如何構築一個體系，這個命題太大了。我想我們每一個人管理好自己的生命資源，建設好自己的內心，也許我們整個社會就自有一種夢想，自有一種和諧。體系的東西，不用太信任。諸子百家從先秦的時代，有一統的體系嗎？大漢、大唐的盛世中，思想體系建立了嗎？

今天的中國，站在一個多元化的關口上，多元的共生共存給了我們最活躍、最肥沃的土壞。關鍵是每一個人都要找到一個座標。我們能做到的是，見微知著，從腳下做起，去建立自己的內心世界；而這樣的內心世界，可能就如同孔子所說，「君子不憂不懼」，內心沒有憂思、沒有恐懼。爲什麼那麼簡單？孔子的回答是：「內省不疚，夫何憂何懼？」一個人叩問內心，不憂不懼，沒有自己的歉疚，這就夠了。所以，這個世界的豐富多彩，在於它的多元化，就是每一個人可以有不同的生活經歷，但是穿越之後，仍然保持著一種永不妥協的樂觀主義。這種樂觀容易嗎？關鍵是我們腳下的艱難穿越，我們如何去看待？

有一個小故事說得好，說有一座小廟，裡面供奉著一尊精緻的花崗岩佛像。通往它的台階，就是和它採自同一塊山體的很多塊花崗岩。善男信女都走過這些台階去膜拜那尊佛，它的弟兄們就越來越憤怒，心裡越來越不平衡，最後它們聯合質疑那尊佛像，說我們大家本是兄弟，憑什麼人們都踩著我們去膜拜你呢？那個佛像就很平和地講了一句話：「因爲你們各位，都只經過四刀就有了今天的崗位；而我，是千刀萬剮，終於成佛。」其實這句話，可以作爲我們生活的一種參照。

在一個多元的世界裡，我們內心也許有過憂懼、惶恐，我們也許穿越苦難，歷練滄桑，但是如果佛在心中，你就是自己最大的信仰，終其一生，無需向世界證明。我們的生命無非是向歲月借來的一段光陰，冠以自己的名字。每一個人成爲自己的時候，其實也就擁有了天下。所以，一個眞君子，永遠從內心出發，推己及人，最後推行天下，成就一個社會。我們與其去操心整個道德體系的構建，不如就在今天，給自己一個快樂的理由。

我們捫心自問，我們的內心欣慰嗎？能給自己三個快樂的理由嗎？我想一天如果有三個理由，就足夠了，足夠讓你這一天有所憧憬。如果這樣的快樂理由多一點，那麼，一個人是原點，接下來受益的是他的親人，再接下來是他的朋友，再往周邊是他的同事，最周邊是家國、人民。其實，這樣的一個體系是由內而外的，所以我們最終應該回到內心，祝福生命，每一個人終其一生做最好的自己。

卷四

為人生尋找座標

在今天這個時代，我們每一個人都正在被歷史選擇，並不是我們短暫的生命在歷史中浮沉不定，而是歷史正在從我們每一個生命中穿行。在一個價值觀出現極大動盪、社會出現極大變化的時代，我們每一個人如何看待自我，如何看待文化，這是一個很難的命題。

于丹

在時代的迷惑中確認自我

爲什麼今天的我們還需要《論語》？一個東西的流行，一定契合了大多數內心的需要。那麼我們爲什麼會需要《論語》呢？是因爲我們現在所面臨的時代，比以往任何一個時代都要使人迷惑。我們不要和兩千多年前的標準去比，僅僅和三四十年前相比，我們就不能不感嘆世事的滄桑巨變。三四十年前的中國，沒有商品經濟，大家都一樣窮，沒得可比。比如說，鄰里之間比一比生活水平、生活質量，你會覺得鄰居家比你生活好，是因爲他們家可以自己用彈簧、海綿做一個土沙發，而你家坐的還是硬板的椅子。生活差別頂多就那麼大，沒有我家住的是經濟適用房，鄰居家住的是獨棟別墅這樣的差別。而兩家比孩子，頂多就是兩個孩子同時進工廠，我的孩子是二級工，你的孩子是四級工，也就是這個差別，不會是你的孩子留學美國，已經是博士後，我的孩子下崗，現在在家待業，沒有這麼大差別。

當整個社會因爲貧瘠而顯得安定的時候，人心就沒有那麼多迷惑。但今天人與人的差別，就是經濟適用房和獨棟別墅的差別，就是留學美國和下崗待業的差別，怎麼能不迷惑呢？人在複雜多變的社會中，看到了差異，內心特別需要確認自我。這時候，我們就需要去找一種依據。這個依據在哪裡呢？每一個中國人，都有自己的文化基因，這個文化基因，其實就是我們自己內心找到的一個座標體系。我們如果從座標體系上看的話，那麼傳統文化在當前的多元文化的價值判斷中，就是萬變中的不變，是恆定的元素。面對整個世界，要有一個支點，我們的旋轉才有價值。所以生命要有定力，讓我們知道自己是誰。

戰國的時候有一位名醫叫扁鵲，扁鵲之所以有名，不單在於他的醫術好，也在於他眞正知道自己，寵辱不驚，不因爲功名顯赫而妄自尊大。他跟魏王在一起聊天的時候，魏王問他，說扁鵲你名動天下，是一個神醫，我聽說你還有兩個弟兄也學醫，他們倆爲什麼沒有名氣，沒有學出來呢？扁鵲應聲而答，他說你錯了，我們弟兄三人中以我大哥醫術最高，我二哥次之，我是最差的。魏王很不理解，扁鵲就給他講，他說我大哥的醫術可以做到防患於未然，一個人的病未起之時，他看看這個人氣色就知道了，他就能用藥把這個人調好，但天下人都認爲他不會治病，所以他一點名氣都沒有。他說我二哥能治病於初起之時，就是在病剛開始的時候，看起來還是小病，還沒有轉成大病，他就用藥給治好了，所以大家認爲他是個治小病的大夫，他的名氣僅在鄉里之間。他說，我呀，就是因爲學得比他倆都差，所以我看一個人的病呢，我必須等他的病都發出來，最後病入膏肓、奄奄一息了，我再去下虎狼之藥，起死回生，結果我就變成天下神醫了。你看我大哥這麼治病呢，這個人元氣絲毫不傷；

我二哥這麼治病呢，元氣馬上就可以補回來；像我這麼治病呢，病人的命撈了回來，但元氣大傷，你說我們誰更高明？

扁鵲的這番話，其實所有的成功人士都應該思考一下。一個人可能會被客觀的機遇選擇或成全，但並不意味著自己就了解自己的進度。這一點不光是孔子有所表述，老子、莊子也都在說：一個人要知道自己。孔子說君子「不患人之不己知，患其不能也」，一個眞君子，他不怕別人不了解自己，他怕的是自己無能。《論語》開篇就說：「人不知而不慍，不亦君子乎？」別人不了解自己，自己卻不生氣、不發火，這也很難的。《道德經》裡面說：「知人者智，自知者明。勝人者有力，自勝者強。」一個人了解別人、打敗別人都不算強，而有自知之明、能夠戰勝自己的人才是眞正的強者。

其實文化給我們的就是這種力量。國學在當下興起的唯一理由，就是我們的生命在多元選擇中過於迷惑，所以我們需要座標。

大家經常探討文化的話題，什麼叫做文化呢？它不是一個僵死的、高高在上的範疇，按照《周易・易傳》裡面對於文化兩個字的解讀，叫做「關乎人文，以化成天下」。也就是說，「文而化之」，這是一個流動的過程。「關乎人文」就是觀察人間事物百態，「人文」就是世間萬象。在觀察之後，凝聚起來一種信念，凝聚起來一種對待生命的態度與生活方式，再去布行天下，這才叫「化成」。其實，我們今天不缺少發達的文明，但是我們的文明中有一種遺憾，就是文而不化。我們也許有很多束之高閣的典籍，我們有很多值得敬畏的文化成果，但作爲一個普通的中國百姓，我們自己的生命和這些典籍有什麼關係呢？它可以以一種生動、感性的方式啓動在我們的生命裡嗎？它可以化身爲我們的一種生活態度嗎？所以說，我們缺少的不是文，而是化。我們不缺少成果，但我們缺少的是生命和這些成果之間的親近、溫暖，它不能給我們力量。其實，我們自己要做的就是「文而化之」，一種內化的過程。中國的經典究竟帶給我們什麼呢？爲什麼活在今天的人，活在地球上每一個角落的華人，會對我們的經典都抱有一種深深的敬重呢？就是因爲二十一世紀，我們來到了一種多元語境的社會，來到了一個空前繁榮的物質時代，在這樣的社會，我們的心究竟是更安寧了，還是更困惑了？

在今天這個時代，我們每一個人都正在被歷史選擇，並不是我們短暫的生命在歷史中浮沉不定，而是歷史正在從我們每一個生命中穿行。在一個價值觀出現極大的動盪、社會出現極大變化的時代，我們每一個人如何看待自我，如何看待文化，這是一個很難的命題。文明空前繁榮了，物質空前豐富了，資訊空前延伸了，科技空前發達了，這顯然是我們的幸運。但是另一方面，人心的困惑空前加重了，在太多的選擇面前，由於每天的起伏不定，比如說受廣告的干擾、受他人建議的干擾、受自己心靈的困頓，我們該何去何從呢？外在帶來的所有的豐富，一定就意味著人心靈裡的安寧嗎？一定意味著我們幸福程度的提高嗎？古老的文明形態和現代氣息撲面而來的這種交錯，有沒有使我們感覺到一種斷裂？有沒有衝突？

人如果沒有當下的需求，是拿不出時間和精力去閱讀一些已經流失久遠的、在歷史長河裡顯現出作用的經典。經典的價值其實就在於爲今天的我們提供了什麼樣的心靈座標系，中國的經典往往是以一些非常簡單樸素的句子，在說一些恆久的、雋永的道理，也就是說，我們一切對於外在的反應都起始於自己的心。

哪些人敢說能看見自己的內心？我們每天忙碌，讓我們根本沒有時間看自己的心靈所在。我們看的是他人的標準，我們會和同事比，我的薪水是不是比他高；跟同學比，我現在的住房是不是比他大；拿自己的孩子跟別人的孩子比，分數考得夠不夠好；拿自己的容貌跟朋友比，是不是比她更漂亮、年輕。我們做完所有跟他人的「比」之後，我們的心何在呢？我們還能夠看見自己的心嗎？

心靈的安靜是很美好的事情。水能照見世間萬物，但是水只能在一種情況下照見，那就是「止」的時候。即使再忙碌，在一年之中，人也應該有兩個時候是心靜如水的：一個是過年，一個是生日。過年的時候想想一年中有多少得與失；生日的時候想想一歲過去，有多少歡欣與遺憾，這就是我們心靜下來後看到的自己。推而廣之，是不是每一天我們都能夠給自己一個心如止水的時刻，去問一問自己離心中的理想還有多遠？從腳下到達理想還有幾步路要走？

中國儒家的經典，包括道家的經典，有一個特點，就是知易行難。說起來非常簡單，但是卻很難做到，這個世界上最樸素的東西往往是最難做到的。太陽每天東升西落，江水日日東流，這些現象我們都熟視無睹了，但它是永恆的。人心最樸素的道理都在於自我省察，而不在於他人與社會準則的約束。這就是《論語》爲什麼提出「君子日三省乎己」。這裡的「三」不是一個確定的數字，而是指多次的反省，也就是說，一個人每天多次問自己的內心，我做到什麼了。大家可能會覺得生活這麼匆忙，每天還要這樣檢討自己，是不是很累？但是孔子有這樣一句話：「躬自厚，而薄責於人，則遠怨矣。」「躬」就是反躬於內心，「自厚」是指自己做人厚道一點，對自己苛刻一點，總在檢點自己的內心，就會「薄責於人」，你對別人的責怪就會少一點；當你少責怪別人多檢討內心的時候，「則遠怨矣」，別人就不會抱怨你了。誰都不希望他人總在指責我們，那麼，如何才能不遭受別人的指責呢？就是多看看自己的心。

關於這個「日三省乎己」，孔子說了幾句話來解釋，這些話對現代人來講也很重要。

第一句，「爲人謀而不忠乎」，人人在這個社會上行走，都有自己的一份職業，不管我們爲社會還是爲一個機構工作，都是「爲人謀」，謀畫做事；「而不忠乎」，我忠於自己的職業道德、忠於職守了嗎？我是在盡心盡力做事嗎？也許有人會說，「忠」是一個很傳統的概念，今天已經沒有皇帝了，似乎我們也用不著這種愚忠了。但我們從字形上來看「忠」這個字，上面一個當中的「中」，下面一個心，也就是說，「中心」爲「忠」。眞正的忠誠，是忠誠於自己內在的良知，不是忠於一個帝王，不是忠於一種制度，不是忠於社會的標準；眞正的忠誠，需要良知的保障，用我們民間的話來講，就是你做事對得起自己的良心嗎？

第二句，「與朋友交而不信乎」，你與朋友間的交往，是不是做到「三杯吐然諾，五嶽倒爲輕」？眞正重「然諾」，用自己的性命來守住信譽，可以做得到嗎？

第三句，「傳不習乎」，今天這個傳播環境、傳播時代，我們可以讀書、看報、看電影，與朋友交談，這都是「傳」；成爲自己的叫做「習」。四面八方的資訊都在我們的生活裡，但是它眞正成爲自己的了嗎？我們學習時講究預習、溫習、復習，在一個終身學習的社會裡，只有把外在的資訊用自己的心靈去加工，轉化成自己的生命，這才叫傳而又習。我們每天接收到那麼多知識，有溫習過嗎？讓它化成自己的內在了嗎？

所有這些問題，離我們遠嗎？其實都在今天我們每一個人的生活裡。

別忘了為什麼而出發

我們讀經典，不是站在學術的角度上去做嚴謹的義理考究，我們所希望的，無非是每一個人對自己的內心都有最樸素的理解。什麼是樸素呢？孔子是萬世師表、至聖先師，大家都會覺得，他的人格理想一定是宏偉壯闊的。但是，他和學生們在一起談論人生的時候，每個學生都說得很大，子路等人都是希望自己可以有車馬輕裘，與朋友共敝之，大家一起來分享，講了很多美好的理想。講到後來，學生們才發現他們的老師很沉默，總說是你們各言其志，然後他自己老是「欲語無言」，他自己是不講話的。有學生問他，老師你也說說你的理想是什麼？孔子淡淡地說了三句話，他說我的理想，就是「老者安之，朋友信之，少者懷之」。

這三句話很簡單，用今天的話來講，就是因為有「我」的存在，老人長輩們都能安頓了；因為有「我」的存在，朋友覺得有一份信任、託付；因為有「我」的存在，年輕的孩子們得到了關懷。這個理想大嗎？不大，但它與我們每個人的生活都密切相關。我們想想，每個人來到這個世界上，都不能擺脫與這三種人的自然關係。每個人都有生我養我的父母長輩，每個人都有終其一生相隨相伴的朋友，每個人也都有自己的子女或晚輩。

那麼，這三種人會因為自己的存在而安穩地生活嗎？孔子說「老者安之」，何謂「安」？我的理解，是讓我們的老人，外在可以安身，內在可以安心。安其身，就是兒女孝順、老有所養，你儘量讓他在一個比較好的環境下得享天年；安其心，就是做兒女的為人正直、善良、有出息，對社會有益，父母的臉上有光彩。內外皆安，老人就安頓了。這個標準容易做到嗎？《論語》裡面講孝道的內容很多，都在講我們怎麼和父母相處，其實我們想一想，不說很複雜的，就說兩個很簡單的概念，看是不是每個人都能做到。

第一個概念，學生問：什麼叫孝？孔子回答了兩個字，他說：「無違。」就是你不要違背自己的老人。無違，容易嗎？民間有個說法，「孝順孝順，順則為孝」。你能眞正順從自己的老人嗎？

現實中，很多子女在和老人爭執的時候，本意都是為了父母好，但一定要讓父母順應自己的方式。比如說，兒女和父母爭執得最多的話題，說你看你現在的生活方式，顯然是以前在農村遺留下來的生活方式，顯然就是在生活貧困時期留下的習慣。你買東西總是要省錢，去買那種便宜的、粗糙的東西，我們現在生活已經好了，你完全不用這樣節儉，你為什麼一定要這樣生活呢？我完全可以帶你去吃西餐，完全可以帶你去過一種更好的生活，你一定要這樣嗎？這是兒女經常和父母爭執的，但其實每一個人的此刻，都是他所有歷史的總和。我們的容顏背後隱藏著所有的歷史。我們去愛一個人，必須要包容和愛他全部的歷史，不管對自己的父母、愛人還是朋友，你的選擇一定是站在歷史的成因上，「無違」，不違背它。我們今天的世界，並不缺少愛，但我們往往以自己的方式愛著別人，一定要違背他，包括對自己的父母。其實，做到「無違」並不容易。

第二個概念，《論語》中有兩個字，叫「色難」。什麼意思呢？就是在孝敬父母這個問題上，最難最難的是給父母一個好臉色。也許有很多子女說，我可以給你買豪宅，我可以讓你參加很豪華的歐洲遊，我可以每月給你幾萬塊錢的零花錢，我都能做到，但是我工作太忙了，我沒有時間陪你聊天。

一個人走到晚年的時候，他要沿著自己的心路歷程去追尋他必須記住的那些「界碑」，他希望把那些透過歷史的塵埃呈現出來的影響，以他的描述傳承給他的兒女，讓他們心靈有痕。有時候，父母年紀大了，絮絮叨叨，在念叨那些已經說過幾十遍的親戚朋友，兒女還能有好臉色說，對啊，你接著講啊。這很難做到，所以「色難」啊！

我們都爲人子女，也都爲人父母，我們怎麼樣對自己的長輩，這種行爲和態度在無形中就會教化我們的孩子。其實這些道理是從孔子那時候就開始講的，所以理解經典很難嗎？我們不需要去背很多，「無違」是兩個字，「色難」是兩個字，記住四個字就會改變我們對長輩的態度，這很艱難嗎？從「文」來看，它只是四個字；但從「化之」來看，它是我們點點滴滴終身的行動。這就是「老者安之」。

那麼，什麼是「朋友信之」？我們一生穿行於世界，有過很多朋友，林林總總，相伴於我們生活的每一個階段中。我們會給他們留下什麼印象？人這一生，會有尊貴的朋友，會有豪放的朋友，會有能力超群的朋友，會有熱情洋溢的朋友，但是在生命的最後一刻，你還會想起來的大概只有兩三個甚至一兩個朋友。這些人很低調，他從來不喧囂在你的眼前，而是一直默默地站在你的背後；他從來不給你錦上添花，但只要你需要，他一定為你雪中送炭；他對你的態度，肯定不會滾燙火熱，而是溫暖、恆久，終身相伴。

魏晉時候的竹林七賢，他們大都崇尚老莊之學，不拘禮法，生性放達，但卻生活在司馬氏家族的黑暗統治下，心中的痛苦可想而知。這樣一些狂狷名士，雖然行為上放蕩不羈，但心中的是非觀卻容不得一點含糊。比如嵇康，他就認為山濤這個人軟弱，因為他投靠了當局，嵇康就寫了著名的《與山巨源絕交書》，把山濤痛罵一頓，斷絕友情。但嵇康作為中散大夫被殺死的時候不到四十歲，他依然把自己的孩子託孤給了山濤，他知道山濤不會因為自己對他的痛罵、跟他絕交而不管他的孩子。果然，山濤沒有辜負嵇康的託付，他不僅讓嵇康的女兒風光出嫁，還把嵇康的兒子嵇紹培養成人，推薦到朝廷工作。這個朋友也許和自己有過紛爭，他的人格也許有這樣那樣的缺陷，但是這個人值得性命相與。

如果我們這一輩子眞的有一兩個、兩三個這樣的朋友，你會怎樣評價他？我想，你不會用很多絢爛的溢美之詞，你對他永遠只有一種感覺，就是可以性命相託的信任。這就叫「朋友信之」。「信」這個概念，太樸素了，但是也太難得了。孔子說，我就是希望朋友們信任我，這就夠了。

再來看「少者懷之」。人做了長輩，往往都有「多年媳婦熬成婆」的感覺，都開始板著臉孔教育孩子了，說你這樣走是人生的歪路。其實從某種意義上來講，人生是沒有歪路可言的，你不走過這幾步，怎麼能到達現在呢？人走的每一步都是有意義的。

我們看到過一些形象非常高大的長輩，由於他們的成就、學養都高高在上，如日中天，讓晚輩孩子們高山仰止、景行行止，雖不能及，心嚮往之。這些人是經常被想起來的嗎？不然，孩子們會由於過分敬畏而產生氣餒，會覺得我一輩子也趕不上他了。眞正讓孩子們喜歡的，是那些樸素磊落、人格親切的長者。讓年輕的孩子們想，這個人眞好，他的今天就是我的明天，我明天也許做得比他還要好。

這個人內心是有光明的，而表面洋溢出來的是一種柔嫩的光澤，而不是光芒四射。《老子》裡面有四個字形容一個君子的人格，叫做「光而不耀」，就是一個人要有光芒但是不要耀眼。眞正的光芒是一個人內心的那種篤誠、涵養、厚德。「德不孤，必有鄰」，一個有道德心的人，他臉上永遠會有一種溫暖的光彩，他的聲音很和緩，他待人很謙遜，他從來不咄咄逼人，不那麼富於攻擊性。對這樣的長者，孩子們會經常追慕緬懷，孔子要做的就是這樣的人。

這樣簡簡單單的三句話，「老者安之，朋友信之，少者懷之」，捫心自問，我們做到了嗎？一個人假如身邊事都不能處置得當，按中國話講，一室不掃何以掃天下？你自己家都不能整齊，你能為社會做事嗎？你連身邊最親密的三種人都不能安排妥帖，你能夠廣濟蒼生嗎？我們不能本末倒置，今天的世界，我們不缺少理想，我們缺少的是腳下到達理想的那幾步路。

我們往往憑著一種慣性在這個世界上忙碌，但是問問自己，我們為什麼而出發呢？我們應該為的是心中那份恆久的生命溫暖。其實，這種感悟就是我們叩問內心、反躬自省可以得到的。有了這樣的感受，心不能安嗎？今天的現代人，最難得的就是自己內心那份坦然、磊落與溫暖。

仁厚多一點，憂傷少一點

學生曾經問老師孔子，說你成天在講「君子」，那麼何謂「君子」？你給我講講做君子的道德。孔子說：「君子道者三，我無能焉。」孔子是個特別謙虛的人，他說君子就是有三個道德，但是我自己可做不到。他一直都是這樣，總在講自己做不到。哪三種道德呢？孔子說：「仁者不憂，智者不惑，勇者不懼。」就這三點，但容易做到嗎？

什麼叫「仁者不憂」呢？世界上的憂傷、憂思、憂慌、憂懼太多太多了，但是世界跟我們的內心不過是主客觀之間的一種對應關係。宅心仁厚，能夠對人施以溫暖，成全更多的人，他的憂傷多少會少一點。這就好像如果你不小心碰傷了自己，劃了一個一寸長的小口子，這對於你的生命來講，是大傷痛還是小傷痛呢？不同的人答案是不同的。一個十幾歲嬌滴滴的小姑娘，她可能就覺得這個傷很大，她會疼得哭鼻子，會照鏡子，會上藥，她會一個星期都記得有這樣一個傷。如果一個二十來歲的男孩子，天天在跑步啊踢球啊運動啊，他的腿上可能兩寸長的口子、三寸長的口子，從劃傷到好他根本不知道。其實我們每個人是一樣的，行走於世界上，會面臨職業競爭的壓力、情感的背叛、親人的遠離甚至死亡，還有金錢的得與失，這一切一切無非就是生命中一條一寸長的口子。一輩子趕不上這些事，是不大容易的，但是你遇上的這些事帶給的傷痛一定是相同的嗎？我們有些人的心就是嬌滴滴的小姑娘，傷痛之後有籠罩一生的陰影；有些人的心就是那種很豪爽的大小夥子，他總能很快走出傷痛，基本上不留痕跡。那麼人心要經歷怎樣的歷練才能達到這樣的豁達呢？孔子告訴我們，「仁者不憂」，讓自己的仁厚多一點吧！

儒家永遠提倡的是「推己及人」，自己喜歡的事幫別人做，自己不喜歡的事也不要強加給別人，叫做「己所不欲，勿施於人」。這就夠了，這就是「仁愛」。其實，我們再從幾個具體方面來想，這樣簡單的事情，我們能做到嗎？學生也在追問老師，你說的仁，這麼簡單，那你再來給我拆解拆解，說出來幾個行爲層面，看看能不能夠讓我自己一點一點去衡量、去體悟。老師說，好啊，「能行五者於天下」，仁就做到了。哪五者呢？就是恭、寬、信、敏、惠。

第一條，是恭敬的「恭」，孔子的原話是「恭則不侮」。什麼叫做「恭則不侮」呢？一個人對世界、對他人保持著畢恭畢敬、溫和的態度，那他是不容易招致侮辱的。這個道理很深刻，我們每個人都有尊嚴，誰都不希望無端招致很多羞辱，但大家總會發現有些人際關係不好的人，周圍的人好像都跟他不太和諧。你仔細去想想，這個人肯定是富於攻擊性的，是最愛挑剔別人、最愛攻擊別人的；他看起來劍拔弩張，看起來是一個主動出擊者，但實際上往往會自取其辱。恭敬是什麼？恭敬不是如何握手、如何鋪餐巾、如何告別，這些東西是外在的禮儀；它應該是我們內心的態度，是我們對眞心爲他人付出的一種認同。眞正的恭敬，來自於我們內心的溫和，恭敬他人，事事都想到別人的不容易，自己會一直保有尊嚴。

那麼，本著這樣的態度，再往下走，叫做「寬則得眾」，這是第二條。一個寬廣、寬容的人，就可以得到最廣泛大眾的擁戴。什麼樣的人能做到「寬」呢？心底無私，天地乃寬。一個人能做到「寬」已經很不容易了。我們經常說到一個詞，叫「局限」，局限局限，就是格局太小，所以爲其所限。我們每一個人，如果生命格局很大的話，就少了很多的限制，「寬」實際上就是讓我們在一開始就把生命格局做大，像下圍棋，要學會在四個角上布子，而不是在一個角上捲羊頭。要知道人生這盤棋，有些地方無法做活，還可以去別的地方做。這樣，你的格局才會寬廣，而寬廣的人待人自然就溫和，他就會得到很多人的認可。

某種意義上說，我們眼中看見的世界，其實是我們內心反射出來的態度。世界是什麼？世界就是擺在我們面前半瓶的葡萄酒，但會有兩種不同的話語去評價這半瓶酒。悲觀主義者會說，哎呀，這麼好的酒，就只剩半瓶了；而樂觀的人就會說，哎呀，那麼好的酒，居然還有半瓶呢！其實他們說的是同樣的事，但是後者的人生格局比前者更寬。大家知道，禪詩裡面有一首流傳很廣的詩，詩曰：「春有百花秋有月，夏有涼風冬有雪。若無閒事掛心頭，便是人間好時節。」生活在北方的人，你可以說春天的時候沒有百花全是沙塵暴，到夏天的時候就是酷暑難耐，到了秋天就是秋風蕭瑟、黃葉飄零，到了冬天就是嚴冬霜雪、寒冷無比。如果你這樣去說一年的四季，是不是眞實呢？也是眞實的。那麼這樣的四季連起來就是一年，年復一年連起來也會是一生，在這樣的抱怨中走過一生的人，他雖然不比「春有百花」的人少活了多少，但他一定少活了一樣東西，就是詩裡所說的「人間好時節」。

其實人生的價值不在於你是活了八十九歲還是九十八歲，而在於你所走過的生命中能有多少好時節。這是取決於我們自己的心態，人就是心態決定狀態，你自己心頭寬，那就天寬地寬。禪詩裡面還有句詩也很好，叫做「眼內有塵三界窄，心頭無事一床寬」。我們的眼睛裡面如果蒙著塵埃，你心中總是掛著一些煩惱的事情，給你前世、今生和來世，你都會覺得很憋悶，你都會覺得窄而過不去；但心頭要是沒有閒事的話，坐在家裡，一張床都會讓你覺得天地寬闊。所以，人心的寬與窄，能不能夠包容別人、包容世界，有沒有熱情，實際上取決於我們的態度。我們好好地問問自己的內心，到底有什麼？

蘇東坡和他的好朋友佛印，兩個人經常在一起參禪悟道。蘇東坡很聰明，他經常占佛印的便宜，占便宜之後回家就很得意，向他那個才女妹妹蘇小妹炫耀。有一次他回去說，今天我們兩個人坐在那裡參禪，我又占便宜了，我問佛印你看我坐在這裡像什麼呢？佛印老老實實地說，你坐在那裡就像一尊佛啊。然後蘇東坡就哈哈大笑，說你個大胖子，往那裡一攤，就像一堆牛糞。他說完了很高興，蘇小妹一聽就冷笑了。她說哥哥啊，就你這個悟性還參禪呢？你知不知道佛家有句話叫做「見心見性」？人心中有什麼，眼中就看到什麼，你看佛印，說你像尊佛，那麼他心中已然有佛在了；你說人家佛印像一攤牛糞，你看看你心裡有什麼吧！

我們想一想，一大幫朋友去遠足，到一個很好的風景點，馬上就會有人喊起來，這個地方漂亮死了，太好了；有人不屑一顧地說，你看那裡還有垃圾呢，這有什麼好的。大家一起去吃飯，進一個飯店總會有人說聞起來就香，太好了；有人就會說這有什麼了不起，不過就是個普通的館子。其實同樣一個地方，評價會有那麼大差別嗎？這個地方，永遠就是半瓶葡萄酒，你放大的是你心裡的東西。你心中有佛嗎？

弟子曾經問佛祖：什麼是佛？佛祖回答了四個字，他說「無憂是佛」。其實，眞正的佛家境界，不是讓每個人都消極遁世，走入紅塵之外的空門，眞正的佛家是積極樂生的。佛家有句話說得好：「當世界無情時我多情，當世界多情時我歡喜。」無憂的歡喜心，看一切的包容溫和，是眞正讓我們寬闊的理由。誰不喜歡寬容樂觀的人啊！誰喜歡每天在生活裡抱怨、對他人百般挑剔的人？這種人注定是沒有朋友的。

成事者的人格修煉

「恭」與「寬」這兩種態度講的是我們自身的修養，接下來孔子說的第三條是人進入職業社會後的做事。做什麼事？怎麼來做呢？這就是「仁」的內容，也就是「信」。人一定要有信譽，爲什麼呢？孔子的原話叫做「信則人任焉」，就是你自己守信用，別人就會任用你。什麼樣的人在社會上發展得好？就是有信譽的人。

我在大學裡面教了十幾年的書，有一個很強的感慨，我們的學生啊，畢業很多年後回來看老師，講他們職業生涯的發展，我很驚訝地發現，發展最好的學生幾乎都不是當年的專業尖子，而是那些做事特別認眞、老實但專業資質平平、不那麼聰明的孩子。爲什麼呢？我們的專業尖子，有時候會聰明反被聰明誤，他到了一個工作崗位上，他會說我當年都沒有去考研究生，我是推薦上來的，爲什麼要我和本科生一起工作？覺得自己不夠受重視，就辭職了。再到一個地方，又說我在學校一直都是最好的，第一年你就應該送我出國留學，如果你不送我去的話，我覺得我的地位沒有受到足夠的肯定。結果呢，又辭職了。一個人這樣三跳兩跳，他的職業生涯就沒有持續性可言。而一個專業能力平平的孩子，他內心善良、篤誠，到一個崗位上就覺得我一定要把事做好，反而一步一個腳印，最終能走得更好。這就是龜兔賽跑所說的道理。很多人提出終身學習的概念，技巧和專業永遠不是最值得信任的，人在學習中會不斷改變，但信譽是一生的基石。因爲守信就有人用你，這是最簡單的道理。

那是不是一個人認眞苦幹就意味著一切呢？那不一定，還要找對方法，還要有效率，這就是孔子所說的第四條「敏」，用孔子的話來講，就是「敏則有功」，誰敏銳、敏捷，誰就能夠建功立業。我們今天是缺乏用大智慧去提升效率，我們這個社會有很多潛規則，做一件事往往需要打通很多關係，效率極其低下，浪費了很多額外的成本。那我們能不能像《論語》中說的那樣，「訥於言而敏於行」？就是言辭上不一定說很多大話，眞正去把事情做得很有效率？

我曾經看到一個很有意思的故事，說一個大電訊公司在招聘，它在招聘一個藍領技術工人，就是會用摩斯密碼發電報的人，很簡單。因爲這個電訊公司很大，所以來的應徵者很多。他們被帶到了一個很嘈雜的大房間，有很多人在那裡收發電報、發傳眞、打電話，來來往往很喧鬧。這些人就被安置在兩邊的凳子上，然後人力資源的經理就和他們講，你們看那邊有一個小門，應徵考試就在那個小門裡進行，然後他就走了。這些人就坐在那裡等人來叫，但一個小時過去後都沒有人來叫他們，兩個小時過去了，還是沒有人來叫他們。這時候來了一個遲到的小夥子，他在旁邊站了一會兒，就直奔小門走過去，一推門就進去了，過了十分鐘，人力資源的經理帶著小夥子出來，和大家講：「很抱歉，你們都可以回去了，這個職位已經是他的了。」大家很不理解，爲什麼我們等了兩個小時，連一個面試的機會都沒有，這個職位就給他呢？然後這個經理就說出了一個祕密，他說：「各位，其實從大家坐在這裡的那一刻起，考試一直在進行著。你看這個大房間很喧囂吧？你聽到有很多嘈雜的電波聲是吧？這個電波聲之中始終有一個摩斯密碼在發報，它的內容是說：如果你聽懂了密碼，請直接走進小門。小夥子一推門就說我聽懂了，而你們等了兩個小時都沒有進去。」最後這個經理告訴大家，其實你們敢於來這裡應徵，就說明你們每個人都懂摩斯密碼，但我們這樣一個大公司，要的不是一個技術熟練的工人，而是一個用心靈在嘈雜的環境中捕捉有效資訊的人才。

敏銳難道對我們不重要嗎？韓國人有個比喻說得好，他們說世界上有一種怪物，前面的臉上長滿了頭髮，後面是禿腦勺。所以它迎面而來的時候永遠面目不清，它走過你身邊時終於知道它是誰了，一伸手，後面空空蕩蕩，眼睜睜看著它走遠。這個怪物的名字就叫「機遇」。機遇永遠只可以劈面抓住，一旦錯過了，就永不再來。什麼是我們的敏銳和敏捷呢？就是多用心去做判斷。

如果一個人有信譽、有敏銳，可以建功立業了，那他就可以成爲團隊領袖、領導了。那作爲一個團隊領導人，最應該具有什麼能力呢？就是孔子說的最後一條，「惠」，他說「惠則足以使人」。也就是說，一個有慈惠之心的人，在精神上不斷肯定他的下屬，在物質利益上不斷與人分享，他就足夠去使用別人，別人就會聽從他的調遣。

恭、寬、信、敏、惠，孔子說這五者行於天下，仁就做到了。這五者總結起來，有三點。第一點是講做人，首先是「恭則不侮」，你對別人尊敬，就可以保持自己的尊嚴；其次是「寬則得眾」，對他人寬容會得到他人的擁戴。第二點是講做事的，「信則人任焉」，用信譽去保障職業生涯；「敏則有功」，用智慧去提升勞動效率。第三點是「惠則足以使人」，如何做團隊領導，這一點是講做官。做人、做事、做官，人穿行於世界無非就是這些事情。難道孔子沒有告訴我們嗎？而且他告訴我們的是人人能做到的事情，這樣「仁」就做到了，就如此簡單。

懂得害怕的人最可信

是不是「仁」做到就夠了呢？那孔子說還有第二個道德，叫「智者不惑」。什麼是智者？學生又去問他，老師你給我講講什麼叫「智」？孔子說，「仁」就是「愛人」兩個字；「智」就是「知人」，還是兩個字。但知人很難啊，在這個世界上，眞正的大智慧不是天體物理，不是生物化學，那都叫知識，不是智慧。智慧只有一件事，就是洞悉人心，能夠順著人心上的紋路，走到它最深邃的地方，了解它的由來，了解它的過去，了解它最深處的願望，以它的方式去好好待它。這樣的事情不要說我們對團隊、對鄰里，即使對我們自己、對我們的親人，我們都未必做得到。所以說，做到「知人」眞的很難！但是如果不知人的話，你又怎麼找得到和他相處的方式呢？不知人又怎麼能夠善用呢？所以只有智者可以不惑。什麼叫「惑」？上面是或者的「或」，就是人在世界上有很多選擇，我們買什麼樣的房子啊，選什麼職業啊，讀什麼專業啊；我們去超市，可能買一袋速食麵啊，一管牙膏啊，都有很多很多選擇，或此或彼，這個或者的「或」就是指很多選擇。那麼下面呢？有一顆「心」，這顆心如果很弱小，被「或此或彼」的選擇一壓，給遮住了，那就叫迷惑；如果這顆心有智慧，它很強大，弱水三千，我只取一瓢，托住了，知道怎麼選，那它就是不惑。其實說白了，惑與不惑，就是外在的選擇和一顆心的較量。

誰「知人」誰就少迷惑，因爲你知道何去何從。怎麼樣才能做到「知人」呢？孔子告訴我們，你不要看表面現象，而要去了解他本質的東西。孔子的學生子路是一個有勇無謀的人，經常給他的老師出難題。有一次他問老師：「子行三軍，則誰與？」如果有機會讓你這樣一個文弱書生去帶兵打仗，你會選什麼樣的人和你一起去呢？言外之意，你肯定要選我這樣勇敢的人吧。老師和他說：「暴虎馮河，死而無悔者，吾不與也。」什麼叫「暴虎」？就是一個人赤手空拳，像《水滸傳》裡的武松一樣，敢去打老虎，這叫「暴虎」。什麼叫「馮河」？就是指一條大河在那裡，上面沒有橋，下面沒有船，一個人隻身就敢游過去，這叫「馮河」。這樣的人不但這樣去做，而且還拍著胸脯說，我死而無悔。孔子說，這樣的人，我永遠都不敢用他。想一想，自己的同事裡面、團隊裡面，是不是老有這樣的人？我們這個世界，老是有一些人，以美好的名義，爲自己的莽撞和無知壯行；總有一些人拍著胸脯和領導講，有條件要上，沒有條件創造條件也要上，我一天二十四小時當四十二小時來工作，保障在什麼期限裡面把一個什麼工程完成，完不成你拿我是問。這樣表衷心的人，有些領導會喜歡，這就是「死而無悔」、「我一定要去做」的人。但這樣做的後果有時候是很可怕的，因爲二十四小時就是二十四小時，它不可能是四十二小時。一個人說我敢赤手空拳去打老虎，多寬的河我都敢游過去，他也許眞去做了，但最後的結果可想而知。所以孔子說，這樣的人我可不敢用。那他用什麼人呢？他說了八個字：「臨事而懼，好謀而成。」「臨事而懼」，就是一事當前，託付給你了，內心知道害怕，要有一點懼畏。當你去赴一個特別重要的約會，去參加一個特別重要的考試，去談一筆特別重要的生意，心裡是不是都有點害怕？害怕是因爲你重視它，你在乎它。一件事情，如果你的上司、老闆交給你去做，你仔細去聽，說這是一件大事，容我考慮考慮。這比拍著胸脯立軍令狀的人可信，因爲你知道害怕，一事當前，如臨深淵，如履薄冰，能夠用心去考慮每個細節，這叫做「臨事而懼」。但是懼到什麼程度？不要懼到最後就不敢做了，所以孔子還有後半句，叫做「好謀而成」，最後要落在「成」上。怎麼成？要好謀，用你的智慧去謀畫它，制定出一個可行性的計畫，最終把它完成。抱著謹愼敬畏之心去接受，再充分發揮智慧，穩紮穩打去完成，孔子說我選這樣的人跟我一起打仗。

在生活中，我們經常遇到一些無所畏懼的人，說我什麼都不怕，什麼都可以去幹，但我們仔細想一想，一個什麼都不怕的人，是最讓別人害怕的。如果家裡有這麼一個人，全家整天提心吊膽，不知道他什麼時候就會捅樓子；如果公司裡有這麼一個人，可能經常要連累同事被處分、被扣獎金。人在這個世界上，面對歷史，面對山川，面對人類，都應該有敬畏之心。所以孔子說，我不會用那種很高調的人。一個人做事，首先要考慮可行性，你有沒有把握去完成它。

法國曾經向全國出過一道考題：假如凡爾賽宮失火，你只能搶出一幅畫，你會搶哪一幅？去過凡爾賽宮的人，甚至連沒去過的人都知道，眞正價値連城的名畫就是那麼三五幅，大家的答案都集中在這三五幅上。最後獲得獎金的是作家凡爾納。凡爾納的答案是什麼呢？他說我搶離出口最近的那幅畫。這就是可行性。

從孔子的態度，到凡爾納的答案，讓我們知道，我們不要被豪言壯語所迷惑，而應該通過行動來判斷一個人。爲什麼孔子說君子是「訥於言而敏於行」？一個人話不用說太多，關鍵是「先行其言，而後從之」。先去實踐自己想要說的話，等到眞的做到了以後才把它說出來。用這樣的態度去爲人處世、去做事，這個人是有前途的。

什麼是大智慧？眞正的大智慧和仁愛是永遠連在一起的，但我們要記住，仁愛也不是無邊的。「以德報怨」這個詞，是不是個褒義詞呢？絕大多數人都會說這當然是個褒義詞。「怨」就是別人對不起自己，傷害、辜負自己，那我用寬容、美好的心去面對傷害自己的人，這不是很好嗎？學生也覺得好，就去問老師：「以德報怨，何如？」有人傷害我，我還能用很好的心態去面對他，我做得不錯吧？孔子反問他一個問題，他說：「何以報德？」有個人已經傷害了你，你還要對他那麼好，那有人對你好的時候，你該怎麼去面對他呢？你該用什麼去報答他呢？我們想想，這麼大個地球，資源都很有限，我們總在呼籲保護植被、保護淡水、保護空氣的清潔度，地球都需要保護，我們的生命資源不需要保護嗎？我們可以毫無節制、毫無分寸地「以德報怨」嗎？那學生就想不通了，就說怎麼做才對呢？孔子就給了他八個字的答案，他說：「以直抱怨，以德報德。」也就是說，當別人傷害你的時候，你用公正的、率直的、磊落的、高尙的人格，去坦蕩地面對他，這已經夠了。不要冤冤相報，但是要「以德報德」，用你生命中慈悲、溫暖、熱情的部分，去面對眞正對得起你、對你好的人。這就是生命的分寸。

在這個物欲橫流的世界上，我們做事時會遇到很多障礙，但是我們的聖賢留下了一些基本的做人道理。記住這些道理，它會保護我們的心靈，它會提升我們的效率。什麼叫「智者不惑」？有大智慧的人行走於世，這顆心足夠堅強，知道何去何從，那些「或此或彼」的選擇是壓不垮他的。這就是我們給內心的定力。

那爲什麼孔子還要說「勇者不懼」呢？什麼是勇敢？孔子在遊學的時候，有一次在匡這個地方被宋人包圍了，宋人拿著兵器圍著他，他自己做什麼呢？四個字，叫「弦歌不輟」，彈琴唱歌，頭都不抬。莽莽撞撞的子路，咯噹一下推門就衝進來指著老師說：「何夫子之娯也？」外面圍著那麼多的人，我們都已經性命不保了，你老先生還傻樂什麼呢？孔子就很坦然地叫他：「來，吾語汝。」你過來，我和你講。他說子路啊，這個世界上有很多種不同的勇敢，在水中穿行不避蛟龍者，那是漁夫的勇敢；在陸地行走不怕犀牛猛虎者，那是獵人的勇敢；當白刃相交於前，視死如生、大義凜然者，那是烈士的勇敢；但世界上還有另一種勇敢，就是每臨大事有靜氣，泰山崩於前而不懼，猝然而來的一個事件，用自己的智慧清醒判別，用自己的坦蕩從容走過風險，迎接一個光明的結局，這種勇敢才是君子的勇敢。所以孔子說：「由，處矣！」你坐在一邊，稍安勿躁，「吾命有所制矣」，我的命怎麼樣我自己知道。他話音剛落，那群宋人就進來了，帶頭的那個統領深表歉意地說：「您和我們的仇人陽虎長得太像了，大家把你看成了陽虎，所以包圍了你；現在知道了你不是陽虎，請讓我向你表示歉意並且撤離部隊。」

我看到這個故事的時候，老是在假設另一個結局。以子路的勇猛，把我老師包圍了，這還得了，拔出劍來，先殺十個八個，最後一聽，哦，圍錯人了。那會是什麼結果？我們這個世界，小到夫妻口角，大到國際糾紛，有多少是源於誤會？眞正的君子之勇，是用一種鎭定從容的心態去辨明是非，迎來一個光明的結局。我們很多人都缺少這樣磊落的大勇敢。這種勇敢不是匹夫之勇，不是拔劍相向，而是鎭定從容。生活節奏很緊張，但不意味著我們的心要被這種緊張給騷動起來，我們可以保持一種從容。從容其實是一種態度，從容而不迫，沒有那麼多的急迫，內心不慌亂。

擔承重任，舉重若輕

「仁者不憂，智者不惑，勇者不懼」這三句話，孔子說，這是君子的道德，它是連接在一起的一個體系。他很謙虛地說「我無能焉」，他說完以後，他的學生對他說：「夫子自道也。」您說的就是您自己呀！孔子的一生就是這樣走過來的，他傳遞給我們的，就是這樣一種態度。

那麼，這樣的態度對今天的我們來講，是不是有用呢？我們要時常看看自己的心，但是在今天這個多元的世界，文明有著它的異彩紛呈，我們不要把所有的希望都寄託在一個支點上，不是有了孔子、有了儒家，它就會帶給我們全部的幸福，道家對我們來講，是另外一個座標，西方文化也有很多座標可以進入我們的生命。我認爲儒道兼濟才是中國人應該具備的完善人格。如果說儒家給我們的是一片土地，它教我們行走於世，它教我們擔當責任、擔承使命，完成社會角色的自我實現；那麼道家給我們的就是一片天空，它教我們實現自我之後的超越，它教我們擺脫功利心的羈絆，達到心遊萬仞。

用莊子的話來講，這個世界「天地有大美而不言，四時有明法而不議，萬物有成理而不說」。我們眞正沒看到的東西還太多太多，爲什麼看不到呢？是因爲我們太匆忙了，沒有那個心情去看。如果做到「天地與我並生，萬物與我合一」，那麼就可以「獨與天地精神往來」。這樣的生命不浩蕩嗎？所以儒家教我們的是在這個世界上去擔承重任，但道家教我們的是如何舉重若輕。

我們經常聽到人們誇獎一些仁人志士如何忍辱負重。其實對一個歡樂與健康的人來講，人生未必要忍辱，而要舉重若輕，輕盈地去承擔重任，這是我們現代文明應該提倡的一種健康人格。我們不奢望每個人都有一個完美的人格。其實人生不應該有那麼多牽絆，不要爲「褒義詞」活著，不要爲別人給我們貼的標籤，最後累積起一個輝煌的墓碑而活著。人要的是當下的眞實，眞實應該是一種蓬勃的生機，應該一方面在做事，另一方面有「心遊萬仞」的能力，也就是說，以出世之心做入世之事，這樣我們就會少很多「計較」。如果人人都出世的話，誰來承擔社會責任呢？但如果過於入世，功利之心太重，我們又會活得多麼局促呢？人應該如何去完成這樣一種超越？《論語》裡說，一個知識分子人格的成長應該「志於道，據於德，依於仁，游於藝」。「志於道」，每一個人開始都會有志於天地大道，要立志，然後建設道德體系；「據於德」，自己要有道德根據；第三句話叫「依於仁」，在社會上做事的時候，依托於仁愛。那這個時候已經進入社會很深了，但是完成了嗎？沒有，所以有第四句話「游於藝」，還要從世界穿行出去，找到一種藝術形式，藝術審美境界的心靈遨遊。每個人既要在世界做事，又要穿行、擁有天空。我們從大地出發，讓夢想飛揚在天際，我們的生命就不僅有崇高，而且還有歡樂；我們不僅能做社會道德下的磊落君子，更能做個人心靈下的快樂生命。

走過歲月，終於成爲自己

「三十而立」，什麼是「立」呢？一張名片上的頭銜，買什麼房、什麼車，都可以說是「立」，都很容易，但「立心」很難，一個人的心在三十歲時還沒有立起來的話，他人生的格局、氣象就太寂寞了。那怎麼「立心」呢？我認爲在三十歲以前的生活應該是以「加法」爲主的，就是不斷地積累知識，積累財富，積累各種社會資源，積累各式各樣的情感，把自己堆得更豐富。在三十歲以後，人應該學會用「減法」生活，就是對不想要的東西可以優雅而堅決地說「不」，優雅是對生活的態度，堅決是對自己內心的忠誠。你不想違心地去掙這筆錢，你可以不去掙；你不想結交的酒肉朋友，你可以遠離他們。你可以對世界「捨」的時候，你才眞正可以「得」，捨得的道理，是先捨而後得，小捨而小得，大捨而大得。人在三十歲後還不懂得「捨」，那麼他的心是無法「立」的。宋人張載有這樣一句話，他說一個人要「爲天地立心，爲生民立命，爲往聖繼絕學，爲萬世開太平」。今天的我們缺少這樣一種磊落氣象。「爲天地立心」，一顆心是在天地之間的，所以他能夠與天地氣象融通起來，而不僅僅是他自己的生活，也要知道有古今的歷史。「爲生民立命」，天下有那麼多老百姓、普通人，能夠爲別人做點什麼事，這是人生使命。「爲往聖繼絕學」，像《論語》這樣的書，大概兩千五六百年前的典籍，在今天有沒有人能讀懂？我們能夠站在當下用自己的生命重新感知它嗎？「爲萬世開太平」，就是我們今天所做的每件事，它都能夠對後人有用，我們現在提倡的可持續發展觀，就有「爲萬世開太平」這種思想蘊涵其中。這是一個而立之年的人心中應該想到的，如果一個人只看到眼前的話，那就是人生格局太小。

如果一個人在三十歲時做到了「立心」，從「而立之年」往上走，他就應該去仁愛天下。孔子說「仁者不憂」，一個有仁愛在心的人，他是沒有那麼多憂思、憂傷的。仁愛容易嗎？「仁」看起來很簡單，單立人加一個「二」字，但是就在這簡單的筆畫裡面蘊含著一個道理，就是二人成仁。什麼意思呢？就是說「仁愛」從來不是一種孤獨的自我狀態下的心情，它是跟另外一個人在一起表現出來的態度。「二人」中那另外一個人是誰並不重要，一個心中有仁愛的人，那另外一個人就算是陌生的路人，你也會對他報以一種善意的笑容；如果沒有仁愛呢，那個人就算是你的父母、妻子、兒女，你也可能惡語相向，甚至舉手打罵。所以，「二人成仁」，就是看你對別人的態度。

如果一個人到而立之年後，按照這樣一種「仁愛之情」往下走，那麼再走十年，就會走到「四十不惑」。不惑之年我們就眞的會沒有迷惑嗎？我想所謂「四十」不過是孔子針對當時那種簡單的農業社會提出的標準，因爲那個時候的四十歲已經可以做爺爺了，守著幾頭牛幾畝地，到五六十歲可能就差不多了，所以才有「人生七十古來稀」嘛！但是在當今社會，人到四十方識大惑，不到四十歲，連迷惑的資格都沒有。二十歲、三十歲，忙著學習，忙著工作，連迷惑的時間都沒有，迷惑也是一種奢侈。沒有時間，沒有心情，哪來的迷惑？年輕時談「不惑」是不可能的，因爲年輕人還沒有找到自己與世界的關係，人眞正走到「不惑」，是從社會角色回歸到自己的內心。

四十歲的人在今天最爲迷惑：上有老，下有小；比比二十年前的同學，原來專業不如自己的，現在飛黃騰達；原來相貌不如自己的，現在卻依然青春靚麗，比自己嫁得要好。心裡有比較，就會有迷惑，比較得越多，迷惑就越多。

再過十年，人就到「知天命」的年齡。「天命」不是迷信的說法，「知天命」，是說一個人闖蕩半生之後終於知道了世界的規則，終於了解自己生命的軌跡，終於知道自己的長處與短處，揚長而避短，把自己發揮到最好。我們經常說「寸有所長，尺有所短」，爲什麼這樣說？戰國時期的孟嘗君，養的門客中有兩個「鷄鳴狗盜」之輩，一個會偷東西，一個會學雞叫。結果就是這兩個誰都瞧不起的人，在關鍵時刻救了孟嘗君的命。任何人在世界上都有他的價值。其實一個人了解自己是那麼難，了解之後就不要跟自己太較勁，肯定自我、尊重自我，是一個人贏得世界的前提。

如果一個人能做到「知天命」了，那就跟這個社會和諧了，當自己和社會和諧之後，就快到「六十而耳順」了。什麼叫「耳順」？就是聽別人說什麼話都不再覺得刺耳。年輕人聽別人說話時，可能會奇怪這個人怎麼會這麼想、怎麼會那麼想，但其實站在他的立場，以他的修養、他的出身經歷，他只能那樣想。「君子和而不同」，你可以不同意別人的見解，但是你要包容別人，允許不同意見的存在。能接納不同的意見，不會再因別人的幾句話就喜怒形於色，這就是「耳順」。

走過了「耳順」，才能達到七十歲的「從心所欲，不逾矩」。這就是生命的成長，在這成長的一路上，儒家所有的話，《論語》裡的話都很簡單，但簡簡單單的話最後揭示出來的是什麼道理呢？就是一個人終於認識了自己，終於成為了自己。

夢想是知識的翅膀

如何引導孩子學習經典？怎麼樣讓他們走進傳統文化的大門？我想這是很多家長關心的問題。其實對於孩子來講，什麼是最重要的？我想不在於形式，你一定要他死記硬背嗎？最重要的是讓孩子找到一種快樂的方式。

我記得自己三四歲的時候，爸爸抱著我在公園裡面背詩詞，說這個紅杏枝頭春意要怎麼樣呢？鬧！這個「鬧」字是什麼？身邊就有一棵開滿花的桃樹，爸爸看著花說，你看花動嗎？我說不動。爸爸就帶著我跑到另一邊，說花現在動了嗎？咦，發現花的位置都變了。再帶著我換個位置，發現花全都動起來了，然後爸爸說，很熱鬧、很喧囂是吧？所以爲什麼不說紅杏枝頭春意綻、春意開呢，而要用一個「鬧」字，就是用動態觀之。

我小時候就是這樣，從來沒有被要求死記硬背過，所以這也決定了我現在的態度——對自己的態度、對學生的態度和對孩子的態度，都是如此，永遠不要讓小孩子因爲形式上的東西而產生反感。僅僅是死記硬背，他一煩，就連內容也放棄了。我自己對待學生和孩子，概括起來就有三點。第一我希望他是健康的，就是從心靈到身體的健康，能夠享受這個世界的美好，吃飯香，睡覺甜，玩得盡興，心靈上不鬱悶，這就行了。第二我希望他善良、正直，這是人類的核心價值，做一個好人。第三我希望他快樂，不是享受快樂而是創造快樂，不是說有多少物質的東西給他，而是說在很簡陋的情況下，他自己可以創造一種快樂的氛圍。有健康、善良和快樂，對一個孩子來講已經夠了。

閱讀經典，要用健康快樂的方式讓孩子去體會，進入他的認知體系，而不要剝奪他的快樂權利。對小孩子來講，有夢想比有知識更重要，夢想是知識的翅膀，沒有了夢想就沒有了飛翔的動力。

二戰以後，美國也是一片蕭條。有一個中產階級家庭，境遇還算不錯，一個周末的晚上，家裡的小男孩換上一身很漂亮的紳士服，媽媽在做晚餐，全家人想要過一個浪漫溫馨的周末。這時候外面下起大雨，小孩子就一頭衝進泥水裡玩耍，結果把自己弄得像個小泥猴一樣。還吧嗒吧嗒地在一個高台上跳，一邊跳還一邊喊，媽媽你看我要跳到月球上去了。中國的父母，十個有八個會拎著耳朵揪回來揍一頓，晚飯都別想好好地吃了。這個美國媽媽說什麼呢？她就站在窗口淡淡地對兒子說了一句：「好啊！但你別忘了從月球上回家吃晚飯。」

這個孩子是誰呢？他就是第一個登上月球的太空人阿姆斯壯。他代表人類登上月球，走下登月小艇的時候，他邁出自己的左腳，從上往下給自己的腳照了一張照片，然後說了一句很驕傲的話，他說：「這對於我個人來講是一小步，但是對於人類來講，是一大步。」這個為人類邁出一大步的太空英雄，從月球上回到了地球，那麼多媒體圍上去，問他此時此刻最想講什麼，他就對著鏡頭淡淡地說了一句話，他說：「媽媽，我從月球回來了，我要回家吃晚飯了。」

融入社會，堅持自我

我一直認爲人生長、生活在這個世界上，一定要有自己的信仰、信念。至於是什麼樣的信仰、信念，你是否屬於某一個宗教或教派，這都不重要。儒家曾經作爲一種統治術而被獨尊，但這並非孔子所希望看到的。孔子有一句話叫做：「君子合而不同，小人同而不合。」什麼叫「同」呢？有些人在外在標準上處處追隨別人，別人說我信這個教，他就說那我就跟你信這個教；今年流行色是什麼他就穿什麼；流行什麼樣的健身方法，他就跟著人家換，總在苟同於別人。什麼叫「不合」呢？就是眞正需要協作的時候，他反而不合作了，總在挑剔，這個不同意啊，那個不遷就我啊，總在抱怨。那麼換過來講，「君子合而不同」，什麼叫「不同」？就是從信仰到做事方法，每一個人要堅持獨立的自我，但最終，世界需要和平，社會需要和諧，我們要與人合作，社會才可以平穩地運行，這就是「合而不同」。

按儒家所說，人活到七十歲的境界是什麼呢？從三十而立、四十不惑、五十知天命、六十耳順，走到七十就是「從心所欲，不逾矩」。這裡面有兩層意思：「從心所欲」就是聽從自己內心的聲音，跟從自己內心的方向；「不逾矩」就是遵從社會的法度，能夠與他人、社會順意和諧地共存。那麼這樣的觀點道家怎麼表述呢？叫做「外化內不化」，要尊重倫理道德，融入這個社會，但要堅持內心的自我，保有自己內心的本眞，成爲不可替代的自己。

其實所有宗教都有統一的目標，就是人心向善。宗教是基於人性的一種精神指引，所以你信仰什麼宗教都不妨礙你去讀經典，因爲它們是殊途而同歸，你只要心中有所信仰就好。對世界要有寬容和悲憫，而自己的內心要有所堅持，這實際上就是我們面對社會的正確態度。在一個多元文明的時代中，如果我們每個人都能做到「合而不同」，我們的生活就會有明確的方向和目標。

我講《論語》，有朋友評價我，說我是「塗著口紅的孔子」，這樣的稱號我不敢當，因爲我並不希望自己成爲孔子的代言人。中國傳統文化經過幾千年的積澱，給今天的我們留下了太多太多可以挖掘的東西，我並不會局限在孔子、莊子這兒，我的愛好非常廣泛，比如崑曲，已經喜歡了很多年了。崑曲是什麼呢？它是一種優美典雅的戲曲形式。在戲曲舞台上，我們能觸摸到什麼呢？《牡丹亭》裡的杜麗娘是什麼樣的人？她無非是在後花園裡作了一個夢，在夢中與一個叫柳夢梅的書生相愛，結果她就因情而亡了。後來這個書生拾到她的畫像，杜麗娘化爲鬼魂尋到柳夢梅並叫他掘墳開棺，杜麗娘就這樣復活了。用作者湯顯祖的話來講：「情不知所起，一往而深，生者可以死，死可以生。生而不可與死，死而不可復生者，皆非情之至也。」今天的我們，太缺乏這種至情至性了，我們講的都是義理。孔子講「發乎情，止乎禮」，是爲了讓我們的生命能夠蓬勃而歡樂。杜麗娘去遊園，感嘆道：「原來姹紫嫣紅開遍，似這般都付與斷井頹垣。良辰美景奈何天，便賞心樂事誰家院？」青春蓬勃絢爛，但在斷井頹垣的映照之下，就算良辰美景、賞心樂事，都與自己無關，「奈何天」、「誰家院」，這是自己遠離的世界。

在大都市裡，我們看見很多受過良好教育的白領，也許你我就是其中一員，每天穿著時尙的套裝，化著漂亮的妝容；每天走進辦公室，不見天日，開著日光燈，吹著冷氣、暖風，夏天當冬天過，冬天當夏天過，四季不分。這不同樣是另外一番「斷井頹垣」嗎？這樣的環境中，我們還知道四季的變化嗎？我們還有行走於山川的歡欣嗎？杜麗娘「遊園驚夢」，那我們離夢還有多遠？我們每天累得要死，加班加點，睡覺的時候上鬧鐘，剛剛走到夢的邊上，鬧鐘就響了。我們的生活，連作夢都那麼匆匆忙忙。我讀《論語》、《莊子》、崑曲，也許還有更多好玩的東西，只有一個一以貫之的理由，就是爲我們的生命。我們不是用我們的生命去殉祭古典文化，不是用我們的時光去注解六經，而是要讓六經注我。所有的文化形式、文化意蘊，古往今來、古今中外，我們都可以去吸收，吸收到最後，讓我們的生命「文而化之」，使自己成爲山巒中的頂峰。這樣一個「六經注我」的境界，才是閱讀經典的眞正收穫。這一生，我們可以有過楷模、偶像，但最終只有一個目標，就是成爲自己。

有一個古老的部落，部落裡有一位睿智的老酋長。他所有的預言都一一應驗，從來沒說錯過一件事。有一個小夥子不服氣，要和他打賭。他抓了一隻剛孵出來的小鳥，藏在身後，他問老人：「我手裡的小鳥，是死是生？」他胸有成竹地想，你要說牠是活的，我手指一拈牠就死了；你要說牠是死的，我手心一張牠就飛了，反正我一定要讓你說錯。聽到這個問題，老人睿智地一笑，說了一句話，他說：「生命就在你的手中。」

卷五

歷史裡的人性

易中天「品三國」，說到底，品的就是人性。就是人性嘛！其實，古人也好，名人也好，包括你我，大家都是人，而且我們都是中國人，只要是人就有共同的人性。

易中天

歷史的留白

有一次在中央電視台，崔永元問我，歷史有什麼用？讀書有什麼用？其實是看對誰有什麼用，不能簡單地講有什麼用。古人覺得學習歷史，對統治者有用，對皇帝、宰相、文武百官有用。有什麼用？以史爲鑒。所以司馬光把他的大著作叫《資治通鑑》，「資治」就是幫助你統治，當然也可以說幫助你治理。這是給統治者看的。

我們普通老百姓、人民群眾、草根，他們讀歷史有什麼用？我的結論是兩個字：做人。從歷史上看看古人遇到問題是怎麼做的，從中學到一些做人的道理，甚至是方法，但這些要靠大家自己去領悟，修行在個人。我只是把史實告訴大家，說遇到這樣的問題，誰誰是怎麼處理的，碰到相同的問題，由你自己去想該怎麼處理。我有個觀點，叫「事不同而理同」。

易中天「品三國」，說到底，品的就是人性，就是人性嘛！其實，古人也好，名人也好，包括你我，大家都是人，而且我們都是中國人，只要是人就有共同的人性。古人也好，名人也好，他所做的事，他做的這些事的背後，他的內心深處爲什麼會這樣，他有他人性的東西，所以他會成爲這樣一個人。我把這些東西拿出來，讓觀眾和讀者看到，所有的古人和名人，他們是和我們一樣的人，沒什麼區別；使我的鄰居、朋友、上司或者是我的晚輩，用這樣的眼光去看這些古人、名人，這樣他們就會覺得親切，然後悟到我們應該怎麼做。

以前我們讀歷史的時候，經常只有述說，只是表述，只說歷史是怎麼回事，有的則只是研究、考證、分析，很少從人、從人性的角度去看待、去發掘。歷史學家會覺得從人性角度去看待歷史人物和歷史事件不科學，會帶上主觀推測。其實，歷史上的一件事情，有時會有截然不同的評論，就是因爲資料不充足，很多環節都只能靠想像和推測，所以不同的史學家對同一歷史事件可能會有完全相反的兩個評論。

就拿諸葛亮處理李嚴的案子來說，其實劉備當時託孤，同時託了兩個人，一個諸葛亮，一個李嚴。諸葛亮爲正，李嚴爲副，這個結構和當時孫策託孤一模一樣。孫策年紀輕輕就死了，他有兩個毛病，一個嗜殺，一個愛美。他殺了很多人，也得罪了很多人，他把一個叫許貢的太守絞殺了，許貢的門客要爲主人報仇，就在孫策打獵的時候行刺孫策。孫策驍勇，人稱小霸王，許貢的門客沒能把他打死，但在孫策的臉上劃了幾刀。醫生給孫策治傷，在臉上貼了許多膏藥，囑咐他不要動怒，一百天後傷就會好的。大家都知道孫策是個帥哥，他愛美，一照鏡子，看見自己漂亮的臉上貼滿了膏藥，他大吼一聲，說：「面如此，尚可復建功立事乎？」我的臉都變成這個樣子了，我還能建功立業？大吼一聲，金創迸裂，血流不止，傷勢惡化。臨死前他把大權交給弟弟孫權，孫權當時只有十八歲，古代男子二十而冠，十八歲還未成年，所以要託孤。孫策把東吳大權託給了張昭和周瑜，一文一武，文臣張昭為正，武將周瑜為副。

劉備託孤與孫策一樣，諸葛亮與李嚴，也是一文一武。可李嚴，八年後被諸葛亮貶為平民。有人說，李嚴是合法爭取權益，我與你同為託孤大臣，但地位、權力卻不一樣，諸葛亮是開府的丞相，李嚴也要府，得不到批准。諸葛亮丞相兼益州牧，李嚴說我不要州牧，兼個刺史怎麼樣？也得不到批准，兩個人的矛盾越來越多，最後李嚴被處理掉了。怎麼被處理掉的呢？這件事很奇怪。諸葛亮北伐的時候，他自己統兵到前線去了，讓李嚴在成都籌餉，供應糧草。古時候打仗，糧草很重要，兵馬未動，糧草先行，糧草運不過去這個仗就沒法打了。八月份正值雨季，雨下得很大，道路泥濘，糧草運不到前方去，李嚴就給諸葛亮寫了封信，說糧草我實在運不到，丞相你要不要考慮撤兵？諸葛亮果真就撤了兵。消息傳到成都，李嚴卻與大家說，這很奇怪，丞相為什麼要撤兵啊？我這裡糧草很多啊！劉禪知道了，也不知為什麼要撤兵，問李嚴，李嚴答：「我也覺得奇怪，我猜丞相是『偽退』，誘敵深入。」等諸葛亮回到成都，事情就暴露了，李嚴前後說法不一樣；諸葛亮把李嚴寫給他的親筆信全部拿出來給大家看，李嚴沒有話說了，認罪了。李嚴認罪之後，諸葛亮就上表後主，把李嚴廢為平民，流放到梓潼。

這件事有三點不清楚。第一，作案的動機不明。李嚴爲什麼要做這件事？《三國志》裡說他是爲了推卸運不上糧草的責任，嫁禍給諸葛亮。這話說不通啊！劉禪問他時，他說丞相是誘敵深入，他沒有說丞相不敢打之類的話，不能說推卸責任啊！第二，作案的手法拙劣。李嚴要禍害諸葛亮，不能留下把柄啊！他只能傳話，怎麼能親筆寫信呢？糧草運不上這些話，白紙黑字寫著，李嚴是個聰明人，爲什麼想不到？第三，現在只有一面之詞，史料中找不到任何李嚴自己的辯護詞。

所以，這件事歷史學家只能推測，推測出截然不同的兩個結果。一種說李嚴這個人就是個野心家、陰謀家，老是要官要權，諸葛亮一讓再讓，不能再讓了，秉公執法，處理了他。另一種說法是李嚴要開府、要當刺史是「維權行動」，因爲他是同受遺詔託孤的顧命大臣，諸葛亮大權獨攬，不容別人染指。

對這件事，現在我們沒有辦法辨別，我們能做的就只能是把這段歷史在史書上是怎麼記載的、學術界是怎麼看待的，原原本本告訴大家，結論由大家去做。

歷史的弔詭

有人問我，最想做筆下評論的是哪個人物，其實，如果回到三國時代，我最想做的人物是陳壽，《三國志》的作者。我願意做一個觀察家，以一個觀察家的身分，觀摩、評論一切人和事。

還有人問，易老師，你品評了那麼多歷史人物，爲什麼以悲劇人物居多呢？其實，我品那麼多悲劇人物，我就是想告訴大家，這樣的人爲什麼會成爲悲劇人物。項羽、曹操、武則天、海瑞、雍正皇帝……其實這些人的個人素質都不差，那爲什麼會成爲悲劇人物？

就說雍正皇帝這個人，我們去讀小說、野史，都說他是暴君，說他殘忍、刻薄、寡恩。其實他這個人是刻薄，但不寡恩。他非常勤政，平均每天批奏摺六千字，這是個了不起的數字，很多人不相信，起初我也不相信，因爲他並不是整天在批奏摺，早起要上朝，還有這個那個活動，還要談話。雍正做皇帝，一個縣令上任前，他一定要談話，他認爲政權的基礎就在縣，縣太爺直接和老百姓打交道，是「牧民之官」；一個王朝、一個政府的形象是靠縣太爺來展示的，不能因爲他最小，七品官，就不重視。所以縣令上任前，他必召來談很多話。他還要看奏摺，一天批六千字，用毛筆，不容易！我們今天用電腦一天敲六千字都不容易。

雍正是勤政的，但是得不到好評，他死了以後，他的國家在他兒子乾隆那一代達到高峰以後就往下跌，乾隆的盛世，正是康熙和雍正給他創造的條件。比方說腐敗問題，雍正是中國歷史上反腐倡廉最得力的皇帝，因爲他有效對付了當時被我稱之爲「非典型腐敗」的腐敗現象。

爲什麼說是「非典型腐敗」？先說「典型腐敗」。比方說我有個哥兒們殺了人，抓起來了。我花一百萬，讓官員把故意殺人判爲過失殺人，關上兩年再來個「保外就醫」，不就把人撈出來了嗎？在這裡，送錢是有目的的，這是「典型腐敗」。這種事一旦揭發出來，就是在封建時代也是不允許的，嚴懲不貸。那什麼叫「非典型腐敗」？就是我給你送錢是沒有具體目的的，「三節兩壽」（三節即春節、端午節、中秋節；兩壽就是官員過生日、官員的太太過生日），這五個日子是一定要送紅包的。有個故事說，有個縣太爺是屬鼠的，過生日時下屬給他送了隻金老鼠，長官當然高興，對下屬說，我高興地告訴你們，下個月我太太過生日，她屬牛。這些禮物送過去，不要你具體做什麼，所以我叫它「非典型腐敗」。

這種腐敗是怎麼形成的呢？它是制度形成的。中國歷史上，明、清兩代官員的俸祿定得很低。低到什麼程度？有人核算過，明代一個縣太爺的薪水，約合今天的人民幣一千兩百元

（約合台幣五千三百五十元），這點錢怎麼過日子？按當時的規定，縣太爺上任的路費要自己出，官服要自己花錢做，轎馬要自己買。他還至少要養兩個師爺，一個叫錢糧師爺，管全縣財政，一個叫刑名師爺，管全縣的「公檢法」，兩個師爺要縣太爺出錢僱，國家不給工資。一千兩百元錢夠用嗎？不夠用怎麼辦？不要急！當時有個制度，叫做「耗羨」。

什麼叫耗羨？地方官的一個重要任務就是收稅上交，中國古代農民繳稅有兩種形式，一是交糧食，一是交銀（現在叫現金）。縣府收了糧食上交要送到省府、京城，幾萬幾千里路，路上有損耗，這叫「米耗」；收上來的碎銀要統一鑄成官銀，熔鑄中也有損耗，這叫「火耗」。交到戶部的糧銀必須是足數的，爲了彌補損耗，所以縣府可以合法向百姓多收一點，應交一百擔，縣太爺可以多收五擔，甚至多收十擔，實際損耗是一擔，剩下九擔就歸縣太爺，這就叫「耗羨」。損耗究竟有多少，這是誰也說不清的事，縣太爺於是就可以在這裡合法地上下其手了。

這「耗羨」只有縣衙可收，州、府不能收，省府也不能收，京裡的尙書部更不能收。但是這樣的話，最後不成了官最小就最肥嗎？如果這樣，你的縣太爺還能當得下去嗎？你這縣官是誰讓你當的？由州、府舉薦，一級管一級，於是縣太爺要從九擔米中拿出八擔來打發上級。用什麼名義打發呢？總不能就這麼送上去，於是才有了生日的時候送隻金老鼠的事。

對付這種「非典型腐敗」，雍正採取了什麼辦法呢？他也知道下面靠一千兩百元錢不能過日子，所以他說這筆「耗羨」你照舊可以收，但不能讓你收了以後去送紅包，要全部上交省裡，再由省裡按官員的級別發下來，這叫「養廉銀」，所以說「高薪養廉」這東西是雍正皇帝發明的。「養廉銀」的數量，幾倍甚至十幾倍於官員的薪水。雍正的「養廉銀」政策，應該說是非常大的改革，官員收了養廉銀後如果再收紅包，那就不客氣了，逮一個殺一個。

所以雍正在位十三年，雍正朝的吏治基本上還是比較好的。但是到了他兒子乾隆，出了個特大貪官和珅。你說雍正不是悲劇人物嗎？像雍正這類悲劇人物，不是這個人不好，是制度存在問題。

我在品很多人物的時候，都說這是悲劇人物，他們的錯誤是時代的錯誤、制度的錯誤。其實制度的問題，是全人類共同面臨的問題，我只能說，現在全世界也沒能找到一個十全十美的制度。一種無可挑剔的制度是否存在，都是一個疑問。我們能做到的是，找一種適合本國、本民族的最不壞的制度，沒有最好，只能用最不壞。這個「最不壞」，必須適合本民族、本國的國情，能夠為本民族、本國接受。

全世界不同的民族有不同的文化傳統，傳統不一樣以後，別的國家行之有效的制度，這裡未必就行得通。我們只能不斷地探索，從世界各民族、各國家中吸取他們的成功經驗，然後結合我們的國情來一點一點地改革和改進，只能這樣。我們中國是一個大國，人口眾多，任何一個問題，乘上人數就嚇壞人了；而且我們這個民族災難深重，禁不起折騰。我的政治觀點，我從不避諱，我是漸進改革派，要一點一點，因爲很多東西，它要有文化淵源。比如說議會制度，西方的議會制度只能產生於工商業民族，農業民族是不可能產生議會制度的。爲什麼呢？因爲工商業的發展必須要代理人，就像一個很大的公司，不可能老闆一個人打理，都要找代理人。所謂議員，就是一個階級在政治上的專業代理人，就像律師、會計師，這些必須是從工商業民族產生出來的。而我們這個民族是一個農業民族，我們沒有這個文化傳統，所以很多東西要慢慢地培養、慢慢地試驗。我們現在已經做了很多試驗，比如經濟特區、一國兩制、港人治港、澳人治澳，要試驗，要思考，也要實踐。

歷史的誤解

有的觀眾對我說，當他們喜歡一個歷史人物的時候，會很主觀地把他塑造成英雄，然而當他們對這個英雄的了解越來越多的時候，就發現他們也是很普通的人，其實是他們把心中虛構的形象套到了歷史人物的身上，讀到最後很痛苦，幾乎要殺死他們心中虛構的形象了。

實話實說，我也經過這樣痛苦的過程。小時候，我們都是讀《三國演義》這種歷史小說長大的。我最早的時候，就是讀《三國演義》連環畫，家鄉的小攤上，一分錢可以租一小本，是這樣了解歷史的。當然，那時我心中的諸葛亮是神機妙算，什麼借東風呀、空城計呀。實際上那些仗都是羅貫中幫他打的，是羅貫中編出來的，歷史上沒有發生過。已經有歷史學家考證出來了，空城計發生的時候，司馬懿在宛縣（今天的河南南陽），諸葛亮在陝西漢中，所以空城計根本就沒有發生過。草船借箭不但沒有發生，而且有學者研究出來，在技術上不可能，有人計算過，要實現這個計畫，你要多少個稻草人、多少擔稻草，那麼多箭射到稻草人身上，小船會翻側，所以完全不可能。

比如曹操這個人物，他在歷史上一直是個被誤解的人物，其實我覺得他跟諸葛亮是一樣的人。你把他們的生平傳記看一遍，你就知道了，最後連他們的職務都很像，都是丞相，都開府；曹操是武平侯，領冀州牧，諸葛亮是武鄉侯，領益州牧；都主張法治。但是爲什麼後世對他們兩個人有截然不同的評價？

我再去讀《三國志》來了解這些人物的時候，就有了新的看法，於是我覺得我有責任把我新的看法、可能更接近歷史上眞實的人物形象講給大家聽，讓大家不要因爲歷史形象而把一個人妖魔化，也不要有一個十全十美的偶像。我這麼評價曹操並不是想給他「翻案」，因爲在歷史學界，對曹操的評價基本上是正面的，我們心目中的曹操並不是他眞實的歷史形象。我對曹操的評價和我們歷史學界、歷史學家的評價基本上是一致的，都差不多，因此無案可翻。當然，我說的是歷史形象，不等於歷史眞相，歷史眞相是沒有人知道的。

我還想表達一個觀點，如果哪個人，你發現他是十全十美的，這個人我把他視爲恐怖分子。「金無足赤，人無完人」，任何人都有缺陷，都有弱點，這是人性的本眞。

卷六

歷史裡的人生智慧

非要提到某個奸臣時，咬牙切齒，義憤填膺，表現出你的道德感嗎？我看，很多人是在作道德秀。我要做的工作就是把我對歷史人物的真實了解，原原本本告訴我的觀衆和讀者，告訴他們世界沒有那麼簡單，世界是複雜的，人性是複雜的。

易中天

戲說歷史與香港古裝戲

中國人是對歷史感興趣的，這是我們民族的一個特點。有海外媒體對我說，不可想像，一個講歷史的人會有那麼多的觀眾和讀者。我告訴他們，我們中華民族歷來就有歷史感，對歷史特別感興趣，我們的歷史劇、歷史小說這類作品一直是暢銷的，一直是久演不衰的，這是第一點。第二，大家都想知道，沒有經過文學藝術作品改編過的歷史是什麼樣的。知道這兩點，就很好操作了，尤其像我這樣非歷史專業出身的人，好處就是知道像我這樣不是歷史系畢業的人想知道什麼、不知道什麼、哪些地方弄不明白，這就是外行來做這一工作的優越性。內行呢，那些專家們往往會說，這樣的問題難道還要講嗎，是基本常識啊！對他們是常識，對大眾可不是常識啊。所以他們反而沒有我這些優勢。

有一次我在香港的餐廳用餐，有一對中年夫妻走過來，男士用生硬的國語問：「請問，你是易中天先生嗎？」

我答：「是啊。」心裡還以爲是大陸來香港的觀光客。

「哎呀，你的《品三國》講得好啊！」

見他的國語生硬，我就問：「你是香港人，還是從內地來的？」

對方說：「我是正宗香港人。」

我問：「你怎麼能看到我的節目呢？」

他說：「中央四台播的，昨天還在播你的節目。」

我在澳門過海關的時候，海關的工作人員一見我就說：「歡迎你來到澳門，我看過你的節目，很喜歡。」這讓我多少有點意外，原因是我們之間有語言障礙。廣州人基本上是不看中央電視台的，由此推論，香港人也不看，不看的原因不是別的，主要是語言障礙，聽粵語聽慣了，覺得聽普通話沒意思，品不出那個味道。你說普通話，北京人哈哈笑，廣東人覺得沒什麼好笑；我去看粵劇，全場哈哈笑，我也覺得沒什麼好笑。沒想到香港、澳門還有那麼多人喜歡看我的節目，我當然很高興。我可以坦率地說，我本來就是南北通吃的，唯一憂慮的就是粵語地區，這塊地方我可能沒辦法。當然，在廣州地區，我的書也賣得好，文字閱讀和語音不一樣，文字閱讀沒有障礙。一般作者主講，在北方受歡迎，不一定在南方受歡迎，在南方受歡迎，就不一定在北方受歡迎，南北通吃的很少。因此，我一直以爲粵港澳地區會有問題。我知道，福建地區沒問題，因爲福建的普通話水平高於廣東，原因是福建人聽不懂福建話。廣東只有三大方言，而福建八個、十個都不止，福州話到了莆田就聽不懂了，再往南到泉州又聽不懂了，因此就說普通話。深圳雖然在廣東省，卻不一樣，因爲是移民城市，說普通話的多。但在香港有那麼多人喜歡我的節目，的確是我沒想到的，因此我非常高興。所以說，我們整個民族其實對歷史都有一種情結，對歷史感興趣。

前些年，香港的古裝戲在大陸特別火。那幾年，香港出了多少古裝戲？比如《戲說乾隆》，內容完全是亂寫的，不是說的歷史上眞正的乾隆，但讓他穿上古裝，說明香港人內心深處還是有歷史情結。同樣一個故事，講一個香港老闆有了私生女，大家會覺得沒什麼好看，穿上古裝，愛看的人就多了，這就是歷史情結。雖然是香港，但畢竟還是中國人。文化心理還是有許多接近的地方，比如說，孫隆基寫的對中國人的解讀，全中國，包括港澳台都適用的。

不過我不看香港的古裝戲，因爲我知道它與歷史沒關係。我不認爲香港的古裝戲是演繹歷史，它連演繹歷史都稱不上，它只是穿上古人的衣服演現代人的戲，所以我不看。說古裝戲，準確的說法就是穿上古代人的衣服，演的是現代人的生活。所以只能把它當藝術作品看，甚至當娛樂節目看，一笑了之，它不存在歪曲歷史的問題，因爲它本來就不是歷史，它也沒說自己是歷史。《戲說乾隆》本來就說得很清楚，是戲說，「乾隆」只是一個符號。你要把《戲說乾隆》裡的乾隆與清史上的乾隆畫等號，那是你傻，誰說「戲說」就是那個人的？人家原本就沒有問題。沒有人會說看了《戲說乾隆》就不用看清史了，就了解清代歷史了，不會有人如此愚蠢的。《大話西遊》就更沒有問題了。《西遊記》已經大話了《大唐西域記》，《西遊記》才是大話的祖宗。玄奘法師是眞實存在的人物，取經也是眞實的事情，但絕沒有帶一個猴子悟空，帶一個豬八戒，也沒有帶一個沙和尚。誰都知道這不是眞實的歷史，絕對不會有問題。

應該說，人們還是明白的，歷史是歷史，小說是小說，電視劇是電視劇，唯獨在一段歷史上有問題的就是三國。把《三國演義》當作歷史的人太多了，因爲《三國演義》在創作時，大量材料直接來自於《三國志》，甚至原文照抄。傳統的說法是「七分實三分虛」，即七分是眞實歷史，三分做了加工，這就相當接近歷史了。可惜「七實三虛」的評價未必準確，比方說，「赤壁之戰」這一章節，恰恰倒了過來，是「三實七虛」，大部分是虛構的。我覺得，反倒是香港的古裝戲挺好，只要認準了是古裝戲而不是歷史劇就沒有問題，不會有誤解的。

《品三國》講的就是歷史，但是有時候我會把它與《三國演義》做一番比較，以便告訴觀眾和讀者哪些是歷史，準確地說，哪些是史書上的記載，哪些是作家的藝術想像、藝術創造。

代入角色才能深入歷史

我們怎麼樣看歷史？不妨挑一個既是古人又是名人的人做案例分析，這個人的名字叫諸葛亮，以他爲典型，透過對諸葛亮的分析，告訴大家眞實的歷史人物應該怎麼看。諸葛亮這個人物，我在拙作《品人錄》裡面有過詳細論述，摘錄如下：

做能臣不容易。第一要忠，第二要能。忠而無能曰庸，能而不忠曰奸，都不是能臣。但，光是又忠又能，還不夠，還得大家都承認。這第三條最難。因爲嫉妒別人的能，是官場的通病；懷疑臣下的忠，是帝王的通病。所以歷史上的能臣，好下場的不多。不是生前被貶，便是死後挨罵，能做到生前生後都沒有什麼人說閒話的，大約也就是諸葛亮。

然而諸葛亮活得好累！

諸葛亮的形象，千百年來走樣得厲害。在一般人心目中，他老先生是很瀟灑的。

不管遇到什麼事情，那結果都是事先料定了的。計謀也很現成，甚至早就寫好了，裝在一個袋子裡，只等執行者到時候拆開了看。自己則既不必親自上陣殺敵，也不必操心費神，只要戴個大頭巾，搖把鵝毛扇，泡壺菊花茶，擺個圍棋盤，便「談笑間檣櫓灰飛煙滅」，眞是何等瀟灑。

其實，諸葛亮的心理壓力大得很。劉備與諸葛亮的君臣際遇，歷來就被看作君仁臣忠、君明臣賢的楷模。尤其是那有名的「三顧茅廬」，千百年來讓那些一心想出來做官又要擺一下臭架子的文人羨慕到死。實際上他們君臣之間的猜忌和防範，沒有一天不深藏於心。君臣關係畢竟不是朋友關係，最信任的人往往同時也就是最疑忌的人。因爲雙方相處那麼久，交往那麼深，知根知底，對方有多少斤兩，彼此心裡都有數。這就不能不提防著點了。你看白帝城託孤那段話，表面上看是心不設防，信任到極點，其實是猜忌防範到不動聲色。劉備對諸葛亮說，我這個兒子，就託付給先生了。先生看他還行，就幫他一把；不行，就廢了他，取而代之（若嗣子可輔，輔之；如其不才，君可自取）。這是扯淡！劉禪的無能，簡直就是明擺著的，還用看？無非因爲明知諸葛亮之才「十倍曹丕」，自己兒子又不中用，放心不下，故意把話說絕，說透，將他一軍。諸葛亮是明白人，立即表態：「臣敢竭股肱之力，效忠貞之節，繼之以死。」鐵了心來輔佐那年齡相當於高中生、智力相當於初中生的阿斗。

陳壽說，劉備的託孤，「心神無貳，誠君臣之至公，古今之盛軌也」。這種說法，如果不是拍馬屁，就是沒頭腦。誠如孫盛所言，如所託賢良，就用不著說這些廢話；如所託非人，則等於教唆人家謀反。「幸值劉禪暗弱，無猜險之性，諸葛威略，足以檢衛異端，故使異同之心無由自起耳。」這話只說對了一半。劉備託孤成功，全因爲諸葛亮受人之託，忠人之事，又爲人謹愼，處處小心，這才沒鬧出什麼事來。但要說劉禪沒有猜疑忌恨過，則不是事實。諸葛亮去世後，蜀漢各地人民懷念他，要給他建立廟宇，劉禪就不批准，說是「史無前例」。可見劉禪內心深處是忌恨厭惡諸葛亮的。事實上，一個人只要當了皇帝，就會忌恨手下能力比自己更強的大臣，而且越是弱智，就越是忌恨。因爲所有的蠢才都一樣，只要手握權力，高人一等，便會自我感覺良好，牛皮馬屁不絕。一旦發現手下人比自己強，又會惱羞成怒，必欲去之而後快。劉禪其實也一樣。只不過有賊心無賊膽，有賊膽也無賊力，只好在諸葛亮死後做點小動作，發點小威風，表示他還是個人物。

其實，即便劉禪對諸葛亮眞心「事之如父」，也是沒意思的。這傢伙實在太蠢。又豈止是蠢，簡直就沒有心肝。他做了俘虜後，被遷往洛陽，封安樂縣公。有一天，司馬昭請他吃飯，席間故意表演蜀國歌舞。蜀國舊臣看了，無不愴然涕下，只有劉禪，照吃照喝，「嬉笑自若」。司馬昭感慨說，一個人的無情無意，怎麼可以到這個份兒上（人之無情，乃可至於是乎）！又一天，司馬昭問他：很想念蜀國吧？劉禪立即答道：「此間樂，不思蜀。」舊臣郤正聽說了，就對劉禪說，下次再問，就說先人墳墓遠在隴、蜀，沒有一天不想的，說完再把眼睛閉起來。後來司馬昭又問，劉禪果然照著說，照著做。司馬昭說，我怎麼聽著像是郤正的話呀！劉禪立即睜開眼睛，驚喜地說，猜對了，正是他！旁邊的人都忍不住笑。當然，這也可能是為了保命，裝傻。但即便是裝傻，也是沒心肝。事實上，除了「樂不思蜀」這句成語外，劉禪對於中國歷史半點貢獻都沒有。輔佐這麼個東西，有什麼意思？

所以諸葛亮很累。又要打天下，又要哄小孩，又怕老的起疑心，又怕小的不高興，能不累嗎？事實上，諸葛亮不像軍師，倒像管家。大大小小的事情，他都要親自過問，親自操持，即所謂「事必躬親」。這固然是生性謹慎，也是勢之所然。不這麼做，他怎麼能大權獨攬而國人不疑呢？他實在是害怕出差錯啊！

過度的疲勞，嚴重損害了諸葛亮的身體；沉重的壓力，又使他吃不下飯，睡不著覺。諸葛亮曾上表致劉禪云：「臣受命之日，寢不安席，食不甘味。」西元二〇七年，諸葛亮病逝於五丈原，倒在了北伐途中，享年五十四歲，比曹操少活了十二年。諸葛亮的身體原本是很好的。陳壽說他「身長八尺，容貌甚偉，時人異焉」，是個偉丈夫。如非勞累過度，心力交瘁，豈能逝世於年富力強之時？

諸葛亮實現了他的諾言：「鞠躬盡瘁，死而後已。」他其實是累死的。蜀魏交戰，相持五丈原。蜀使至魏軍營中，司馬懿不問軍事，只問飲食起居。當他聽說諸葛亮黎明即起，深夜才睡，罰二十軍棍以上的事，都要親自過問時，便斷定說：「亮將死矣。」

對這樣的諸葛亮，我是充滿同情的，而不是把他當作一個神人一樣去仰視的。所以我要表達這樣的觀點，歷史人物有三種形象：歷史形象、文學形象、民間形象。作爲研究者，我不允許自己喜歡哪個人物，要儘量客觀。其實，整個《品三國》節目要傳達的就是這麼一個觀念，即我們不要像很多人那樣，非要站在哪個立場上。我的節目播出後，我發現很多人是有立場的，站在曹操立場的就要罵諸葛亮。沒有必要，都是我們的古人，都是我們的歷史。他們都是時代的英雄，也都是我們民族的英雄，只是各有特色。我們要做的工作是把他們各自不同的特點挖掘出來，學習他們身上那些優秀的東西，吸取他們身上各自的教訓。沒有一個人是沒有缺點的，這是我非常基本的觀念。我不認爲世界上有完美無缺的人。一個人再好再好，也會有人性固有的缺點；一個再壞再惡的人，內心深處也會有人性中善良的一面，或者說有值得同情的一面。有些文人看不懂，總是認爲我在給古人、名人刻意做翻案文章，我對這些可憐的文人一點辦法都沒有。於是，我只好抱著無限的同情去閱讀那些批評文章。我憐憫他們，這是傳統歷史觀對他們的毒害，總要分善惡、忠奸。

在我的《帝國的惆悵》那本書中，講了嚴嵩，他是公認的奸臣，是沒有爭議的，他幹了很多壞事。嚴嵩踏入官場以後，實際上只做了四件事：一是媚主，二是整人，三是弄權，四是索賄。成爲當朝宰相後，更是結黨營私，賣官鬻爵，敲詐勒索，貪得無厭。嚴嵩被抄家後，從他家裡搜出黃金三萬多兩、白銀二百萬兩，相當於當時全國一年的財政總收入。這樣一個大奸大惡之人，我卻覺得他很可憐，我給予他同情。一個八十多歲的老人，爲了拍皇帝的馬屁，他做到什麼程度呢，充當皇帝實驗室的「小白鼠」。皇帝喜歡煉丹，煉那長生不老藥，丹煉成了，是不是有問題，需要人試驗，嚴嵩就去試驗，先吃一粒，而後寫試驗報告，你說他是奸臣？我看是忠臣！最後被皇帝說拋棄就拋棄，難道他沒有値得人同情之處嗎？以這樣的眼光看歷史難道不對嗎？非要提到某個奸臣時，咬牙切齒，義憤塡膺，表現出你的道德感？我看，很多人是在作道德秀。我要做的工作就是把我對歷史人物的眞實了解，原原本本告訴我的觀眾和讀者，告訴他們世界沒有那麼簡單，世界是複雜的，人性是複雜的。

做研究的，史書上有記載的，我必須讀，原原本本按照記載的讀，不能添一個字，不能改一個字。我的研究儘量不帶個人的好惡，但是有一條，要設身處地替人想。每個人物，你都要站在他的立場替他想，多一分同情和理解。在《百家講壇》講三國的時候，觀眾之所以有那麼多誤解，覺得好像我是曹操集團的，是因爲我講三國的順序，先講曹操，後講諸葛亮，再講孫權，都講完之後再總結。講諸葛亮的時候，就有「曹操集團」的人罵我，說我叛變了，說諸葛亮的好話了。其實他們不知道，自始至終我都是一個態度，對所有的這些歷史人物，都要抱有歷史之同情。可能是搞文學的關係，我在講曹操的時候，觀眾就說我這個人就是曹操；我在講諸葛亮的時候、講孫權的時候，觀眾又說我這個人就是諸葛亮、就是孫權了。

這種講法，我稱之爲「代入角色」，代入角色才能眞正理解歷史人物。同時，這樣講，也是爲了便於觀眾和讀者接受。中央電視台的《百家講壇》，我稱之爲易中天自編自導自演的「學術獨角戲」。當你講到某一個歷史人物時，你必須化身爲這一個歷史人物，你才能理解他；要進入角色，你要給予他眞正的同情，這樣的人才是鮮活的。一個鮮活的歷史人物出現在觀眾面前，觀眾才是願意接受的，才會喜歡看。如果你總是把一個歷史人物當作一具屍體放在解剖台上，或許科學倒是很科學，但沒有觀眾；作爲學術和文化的傳播者，沒有了觀眾，就什麼都沒有了。

經典本來都是可愛的

作為傳統文化和中國歷史的傳播者與普及者，我很高興看到《百家講壇》的熱播，很高興看到這麼多人讀《論語》、讀《莊子》、讀《三國志》。但如果有人就此說，國學復興了，中國文化已經走向世界，對這個說法，我沒有這麼樂觀。要讓世界了解中國，讓世界了解中國文化，還需要走很長的路。

因爲從總體上說，中國文化和西方文化是兩個不同的文化系統。這兩個系統是不相容的，再加上語言的障礙，你要了解中國文化，必須要了解中國語言和中國文字。要讓外國人能聽懂、看懂我們的東西，太難了！

我曾經與美國著名的哲學家、美學家布洛克面談，他問我究竟什麼是禪？我那天講了一下午，最後他說：「哦，我終於明白了。我們美國也有，彈鋼琴時，不看樂譜。」我聽了一楞，我說的哪是這個呀！這眞是難啊，要讓外國人眞正了解你，非常困難。

我們現在做文化交流和傳播確實困難，我們不知道外國人究竟希望知道什麼。我一個朋友告訴我，他們給一些非洲國家做了一批電視片，很受歡迎。他們開始也是以爲只要把最好的中國文化拿出去就行了，比如京劇啊、崑曲啊，或者是廣東的粵劇啊，但這些最上乘的藝術作品，非洲人根本就不看，沒有絲毫興趣。後來，那朋友做的片子是廣東的鄉鎮企業介紹，廣州、深圳、東莞的經濟發展和變化，非洲人非常感興趣。我明白了，他們也窮啊，也想發展啊，想學點中國的經驗。

與那些盲目樂觀的人相反，也有些人對於中國過於悲觀，這種情緒也是很不好的。他們說，現代的年輕人已經很少甚至沒有讀過古典名著，中國文化出現了斷層。我的意見是，中國的文化傳統其實從來沒有中斷過。我是不贊成文化傳統中斷論的，什麼斷層啊、中斷啊，我根本不贊成這種說法。它一直在延續，只不過是以不同的方式在延續，通過不同的渠道在延續，它也不可能不延續。而我們現在缺少的是一個傳承和傳播的方式，或者說傳承和傳播的渠道。以前的文化傳統可能是在學院裡傳承的，而民間有民間的傳承渠道。比方說風俗習慣、禮儀、節慶，哪怕是「文化大革命」期間，這年夜飯還是照吃的，也沒有中斷過，有些東西可能是斷掉了，比如祭神祭祖沒有了，那個時候政府還要加發油票、肉票，保證人們在年三十能包餃子吃。

因此，民間用民間的方式在傳承，學院用學院的方式在傳承。過去的問題是，民間的傳承和學院的傳承，井水不犯河水，或者說風馬牛不相及；用上海話說，是不搭界的，當中缺少一座橋梁、一個仲介、一個相互對接的平台，而中央電視台《百家講壇》的貢獻，就是搭建了這樣的平台。平台搭建了以後，需要有人在中間走來走去，於是就有人竟然以身試法，冒著犯遊蕩罪的風險在橋上走來走去。我和于丹不過是不怕犯遊蕩罪而走來走去的人而已，如果說我們引起了什麼回響、轟動，用傳媒的話說，引起了風暴之類的話；其實只不過是從書齋走向大眾，使大家發現，原來還有這樣的路可以走。

現在的年輕人已經習慣了密集的圖像、簡潔的內容，喜歡上網查資料，不喜歡讀書，所以有人問我，怎樣才能讓年輕人愛上讀書？全民閱讀，先要讓大家愛讀書。怎麼做到呢？我問你這麼一個問題，你怎麼能做到讓一個男人愛上你？可愛的人被人愛，很簡單。如果一個人是可愛的，就肯定會被人愛上，擋都擋不住。不是有不少網民說，嫁人要嫁易中天嘛。要讓大家愛上一個人，就是要讓這個人可愛。如果要讓全民愛上讀書，只有一條出路，就是書要可愛。沒有別的辦法。你板著一個面孔，拉著一張教師爺的臉，開口就訓人，或者寫的誰都看不懂，那你寫出來的書有人讀嗎？世界上所有的人都是傻子，就你最聰明？沒人讀，活該！賣不掉，活該！除了個別的出於科學研究必須出版的供少數人讀的書以外，我是主張大量的著作應該面向市場，由市場來檢驗。你爲什麼要面目可憎呢？

我們先哲的書，本來都是可愛的，古希臘的書，柏拉圖的對話錄，非常有趣啊。讀孔孟老莊的書，它們曾經也是非常可愛的書，只是因爲時代久了，語言上有了一些障礙而已。

《史記》不好讀嗎？《史記》也是非常好讀的書。至於一個人選擇了學術爲職業，他熱愛自己的職業，他不怕那些書難讀，這是另一個概念。全面閱讀與學者閱讀是兩個概念，學者閱讀應該不畏其難，越是難讀，他越是有興趣，就像警察破案一樣，案子越是難破，警察越是來勁，但不可能要求全民都去破案。

十多年前，一些同行寄來他們的學術著作，我翻開書突然沒有了閱讀的興趣，我就想一個問題：如果我作爲同行都不讀這部書，那麼誰會去讀？而後想第二個問題：一本書寫出來而沒有人讀，那還寫它幹麼？接著想第三個問題：既然這類書沒有必要去寫了，那我應該幹什麼？

當然，我現在還有事可幹，因爲我的節目還有不少人會看，我的書還有不少人會讀，「學術超男」嘛！把我和于丹說成「超男」、「超女」，是別人說的，不是我們自己說的。我和于丹相同的地方，都是人；不同的地方，她是女人，我是男人。其實每個人都不會相同的，在《百家講壇》中，她可能比我更現實些。我的《品三國》更多的是講那段歷史究竟是怎麼回事，把結論和思考留給觀眾和讀者；而于丹自己就講得很清楚，是「心得」，她更偏重於對《論語》、《莊子》的理解和感悟，而不是解釋，不會在字句的解釋上糾纏，而我感悟的成分是很少的，往往是點到爲止。

但是，別以爲易中天講了三國，大家愛看《三國志》了，于丹講了《論語》，就以爲國學熱了，這未免太天眞了。哪來的國學熱？哪來的歷史熱？根本沒有的事兒。我們現在要做的事情，就是要先找到我們文化當中全人類共通的東西、普世性的東西，先把這一部分傳播出去，能讓更多的人產生共鳴。這就是我爲于丹的《〈論語〉心得》寫序的眞實目的，就是「灰色的孔子」。很多人批評她，說她講的孔子不是原汁原味的孔子，不是正宗的孔子；我在序言中說，我不知道這是不是眞實的孔子，我不知道這是不是歷史上的孔子，我不知道這是不是學術界認可的孔子，但是我知道這是我們需要的孔子，一個灰色的孔子，是人性中最最簡單、最最樸素、最最共通的東西。比如孔子講仁，仁就是愛，全世界都講愛，美國人不講愛嗎？法國人不講愛嗎？英國人不講愛嗎？非洲人不講愛嗎？難道有哪個民族說自己的文化就是不講愛的，就是要仇恨的？恐怖分子都不會這樣講。恐怖分子還說自己是大愛呢！那麼，我們從中找到最共通的東西，而後告訴他們，我們的民族文化裡也是有這共通的東西的，我們是如何如何講的，告訴他們，他們就會產生共鳴了，然後再把我們特殊的東西一點一點推出去，應該是這樣一個過程。很多人沒有理解這樣的過程，就站出來說三道四。我們現在只是剛剛開始，還沒有與世界取得共識呢。

卷七

當經典走入尋常百姓家

專訪于丹

江迅／採訪撰文

「兩千多年來，我們曾經以不同的方式誤讀過經典，把經典的力量過分誇大。特別是後來儒學又被視作一個學術體系，讓大家去尊崇它、膜拜它，變成象牙塔裡的知識專屬。我做的事情就想讓每一個普通人，只要是中華民族的後裔，知道它是存在於你血液裡的一種文化基因，可以用你個人的感悟、體驗去把它激活，讓它回到你的生活。」

二〇〇六年十月，于丹在中央電視台《百家講壇》節目用京腔開講《〈論語〉心得》，古今中外，信手拈來，妙趣天成，令人拍案叫絕。于丹是古籍經典的調色高手。連續七天的解讀，分爲七個部分：天地人之道、心靈之道、處世之道、君子之道、交友之道、理想之道、人生之道。孔老夫子這位以《論語》聞名於世，顯得古板嚴謹的老先生，在于丹的娓娓道來中，轉眼變得親切可愛。孔老夫子提出的處世之道，不僅可以踐行，還能平緩現代人內心的焦慮與不安。

不期然，于丹由此紅遍中國。大陸中華書局隨之出版以講座內容爲藍本的《于丹〈論語〉心得》，首印六十萬冊，一次在九個小時裡簽售一萬兩千六百多本，寫下全國紀錄。至截稿爲止，此書已發行三百多萬冊，若加上盜版書，銷售量至少達四百五十萬冊。于丹因此榮登「福布斯中國名人榜」，更被評爲「二〇〇六年品牌中國年度十大人物」。

一個剪著短髮的大眼睛女子，原本安靜讀書、教書、策畫電視節目，而今卻掀起了「于丹現象」。在「現象」背後，讓人看到了中國傳統文化的巨大力量，看到了當今中國百姓心靈深處對於通俗易懂的人文理論的強烈渴求。「以白話詮釋經典，以經典詮釋智慧，以智慧詮釋人生，以人生詮釋人性」的文化普及工作，在中國方興未艾。

孔子和孩子帶來的生命領悟

于丹有個兩歲的女兒。她曾說：「人對生命的體驗是無邊的，我現在的很多感受是有了孩子以後的感受，如果在有孩子之前讓我上講壇，肯定和現在不一樣。」她孩子還只有幾個月大時，有一次，于丹看見她坐在一大堆漂亮的玩具中間，正努力擰著一個藥瓶子，保母想盡辦法想用玩具把那個瓶子換下來，可是都沒有成功，女兒心無旁騖地對付著那個瓶子。後來一個研究兒童教育的專家告訴于丹，擰瓶子是孩子在那個時期最感興趣的事情之一。于丹說：「這件事給我觸動很大，女兒雖然只有幾個月大，但是我這樣一個博士母親卻不能眞正了解她。我突然領悟到，人和人之間生命的尊敬應該從什麼時候開始。」孩子讓她對人生有了更深刻的理解。于丹說，她的二〇〇六年是兩個「子」，「一個是孔子，一個是孩子；一個很老很老，一個很小很小；一個很遠很遠，一個很近很近。孔子給我的是一種靈魂的溫暖，孩子給我的是現實的溫暖。」

于丹說：「孔子是『我愛的樸素聖賢』，我是儘量把文化『化開了說』，快樂的祕訣是找到內心的安寧，每個人在現實生活中都會遭遇到各種困境和問題，我們一起在《論語》中找到一種樸素的化解方式，可以讓大家生活得更自信，提升每個人的幸福感。」

這位四歲即開始讀《論語》的女子被稱爲「女易中天」，她是繼易中天之後又一個「產」

自「百家講壇」、以網路時代的速度迅速竄紅的「學術明星」。易中天爲她的書作序說：「于丹爲我們講述的就是這樣的孔子，一位鏈結了多彩世界的灰色孔子。……我不知道這是不是學者的孔子，也不知道這是不是歷史的孔子，更不知道這是不是眞實的孔子。但我知道，這是我們的孔子，大眾的孔子，人民的孔子，也是永遠的孔子。」易中天還說，于丹的演講是一罈醇酒，「度數」略高，不勝酒力者愼之。

用生命去感悟經典

于丹她在北師大有一個著名外號——「北師大玩委會主任」。因爲太愛玩，所以她每年長假都去外地玩。「好玩」是她的口頭禪，和她聊天，不出五分鐘，準能聽到好幾個「好玩」出自她口。她自稱「反正與正經事不靠譜的，我都特別熱中」，她好古玩，愛崑曲，喜歡足球，癡迷攝影，愛泡酒吧，更愛逛街，卻堅決不開部落格。

她的年齡很難判斷，因爲她說起孔子時，就像他的紅顏知己；而說起周杰倫時，又像他的妹妹。北師大有這樣的傳言：不聽于丹的課是一種遺憾。兩百座位的階梯教室總是爆滿，過道水泄不通，學生站著也要聽完兩個半小時的課。她的電視節目，不經剪輯就可直接播出。研討會上，誰都不願輪在她後面發言，因爲她說得又快又好，大家聽完後都離開會場透氣去了。她在中央電視台《百家講壇》上講《論語》心得，說話乾脆俐落，手勢揮動俐索，總讓人以爲她是個女強人。不過，走進她位於北京馬甸的冠城北園的家，第一個感覺會以爲自己走錯了。她的家是五彩繽紛的世界，從沙發到地板，從擺設到飾品，比幼稚園還幼稚園，滿眼是「狗」、「熊」、「鴨」，偌大的兒童遊戲塑膠彩色氣墊擺在廳中間。女兒苗苗被她視爲「一個女人的最大收穫」。

她說：「外人總以爲我一天到晚忙著什麼演講，其實我對很多事情都是淡淡的，我懶得向社會證明，也懶得向媒體證明。我覺得一個人自己活成什麼樣子就是什麼樣子。作爲個人的一面，別人說你是什麼樣子，都不重要；但作爲學者的一面，你就有責任讓大家有點理性態度，不能因爲我提倡了經典，讓大家陷入迷狂，進入一種民族沙文主義，好像世界都在崇拜我們。」通過與她的直接對話，也許你可以發現「另一個」于丹。

問：出現讀《論語》熱這一現象的密碼何在？

答：我覺得經典的力量，在今天的文化傳播裡，很重要的一個目的就是要去建構社會理性。社會理性對我們這個時代是非常重要的。社會有兩條線，低的一條線是制度線，高的一條線是道德線。低的那條制度線，對二十一世紀的中國公民社會而言，很重要的一點就是立法和司法的健全，要用法制去保護全社會的安全感，而後由每個人心中的道德，去提升一個公民的幸福感。我覺得人的生活是在這兩條線中間，他的行爲不觸及底線，然後在上線去無限提升。這樣才是理想的狀態。

問：你對《論語》的心得解讀目的是什麼？

答：我覺得兩千多年來，我們曾經以不同的方式誤讀過經典，把經典的力量過分誇大。漢武帝時，是用主流意識形態的手段，罷黜百家，獨尊儒術，讓這樣一個哲學的、微言大義的思想體系，突然之間被提升爲統治術，從某種意義上，看似它居廟堂之高，半部《論語》可治天下。這是另一種意義上的急功近利，應用哲學對它意義的誤讀。中國一直在儒道釋三家並存，儒在歷史上根本沒有作爲宗教形式存在，但它被很多人作爲宗教去狂熱膜拜，這也是要不得的。

信仰和迷信之間是有本質區別的。迷信是一種迷狂之信，是一種非理性的、盲目的信任；而信仰是一種以理性爲前提的、值得尊重的追求和信念。在這麼多年的誤讀中，特別是後來儒學又被視作一個學術體系，讓大家去尊崇它，膜拜它，它變成象牙塔裡的知識專屬。我做的事情就想讓每一個普通人，只要是中華民族的後裔，知道它是存在於你血液裡的一種文化基因，可以用你個人的感悟、體驗去把它啓動，讓它回到你的生活。

問：有人說提倡國學是盲目復古，對當代年輕人來說不合時宜，你如何回應？

答：國學熱是好事，兩千多年的歷史中經歷了那麼多次的誤讀，慘痛的二十世紀，我們又在社會意義上經歷了兩次全民性的顚覆，一次是二〇年代「砸爛孔家店」，一次是五十年後七〇年代的「批林批孔」。走到今天，我們傳統文化的血脈中，是有些斷層的，且處於文化的迷惑中。國學今天能夠復興，很多樸素眞理不是由外在灌輸的，而是從內心喚醒的，對它有依賴，首先是好事，看到了它好的一面。但另一方面，又不要過分誇大，要把這些東西轉化到個人的生命系統中，作爲你的一個生活方式存在，但不是作爲一個膜拜的儀式存在。

問：你認爲對經典的迷狂不是正常的？

答：讀經典應該是輕鬆的、溫暖的、讓你從容不迫的。比如每年歲末，是生命盤點的時候，要看一看自己的得與失、收穫和未來，每個人都想建立一個更有利、更有效的生命體系。此時，我們就有可能回到經典。這就好像說平時家裡人都很忙，沒有時間包餃子，但在年三十這一天，大家都會包餃子，因爲你覺得這是一個儀式；經典也是這樣，它是你心裡的東西。我並不喜歡有些人所說的國學大熱了；我所喜歡的溫度，永遠是那種溫暖的描述，而不是火熱。人跟人的關係，人跟經典的關係，人跟社會的關係，凡到火熱，馬上就會淬火一樣，轉向一種冷寂。經典沒有拯救的力量，文化作爲我們生命中一種眞正可以救贖的力量，一定是多種元素的綜合，這裡面有現代理性，有公民社會的制度保障，有心裡對經典的依戀，但不是依賴，也有現代科學裡學到的所有東西。

問：你對當下的讀經熱持批評態度嗎？

答：我現在特別想呼籲媒體，以一種理性的態度愛經典，不是一種迷狂之愛，而是保持一種溫暖，不要火熱，我看《論語》的溫度，既不燙手，也不冷漠，略高於體溫，千古恆常，摸上去暖暖的感覺，是若即若離地陪了你一輩子，而不是把你裹得喘不過氣來。或許我們遠離得太久，沉寂得太久，突然之間有這樣一個熱潮，大家都覺得很突然。我相信孔子的那四個字：過猶不及。那種過熱，那種喧囂，我個人是不想看到的。

問：你怎麼看現在的全球漢語熱、國學熱？

答：國學熱和漢語熱還不完全是一回事。漢語熱有多重原因，有一個表層的、淺顯的原因，就是中國是占世界四分之一人口的大國。二〇〇八年奧運會在中國舉辦，這對中國而言不只是意味著體育之緣，而且是國際之緣，國門一下洞開了。從二〇〇一年加入世貿到二〇〇八年舉辦奧運，中國給世界打開了一個最大的市場，所以學漢語不應只是理解爲文化意義的需求，也有經濟的意義。中國是個很大的市場，因此要學漢語，就如同我們熱愛經典，就不能過分誇大經典的意義和價值；不能說世界出現漢語熱，就說中國文化至高無上了。

問：有人把《論語》視爲「聖經」，你贊同嗎？

答：講《論語》、講《莊子》都是我的生活方式。我從幾歲起就讀這些東西，二十歲讀碩士的時候，它又是我的專業，那麼多年讀過來了，我會覺得它是我的一種生活方式，是我生活中一種自然而然的價值判斷，是一種元素，是一種基因。讀《論語》，不是讀《聖經》，不必用信徒的姿態面對它。今天有空了，讀它兩三篇也不多；如果沒空，一星期不去碰它，生活質量也不會差到哪裡去，因爲這些東西是在你心裡的。國學熱中，現在還有些走偏了的東西，比如提倡孩子們穿漢服，有些祭祖的儀式，甚至很多地方出現私塾，說孩子可以不去正規的學校，自己編教材，只讀那些經典。即使《論語》可能與英語、電腦是同等重要，我覺得面對國學，需要每個人從生命角度對它作一次還原，讓它成爲一生相伴相隨的成長元素，而不是一種實用工具。

問：有批評說你多處曲解了《論語》，你如何回應？

答：我不作回應。我講的是「心得」，人人都可以去體會，每個人讀《論語》都會有自己的感受。我承認有太多太多比我學問高的人在研究《論語》，我今天所做的是傳播學意義上的對《論語》的解讀而已。所以我說「仁者見仁，智者見智」，所有對我提出批評的人，我從心裡感謝他們，說明人家在乎你，說明人家看了你講的東西。我會認眞地讀一讀他的角度，心裡再參照自己的角度，僅此而已。

問：有人說你講的《論語》是通俗《論語》、生活化《論語》，這樣的標籤你能接受嗎？

答：貼什麼我都接受，過去半部《論語》都治天下了，這是孔子想到的嗎？它跟道跟釋都成爲宗教了，這是孔子想到的嗎？《論語》在歷史上被貼過太多標籤，我這種「心得」再貼點標籤又怕什麼呢？如果不停去回應，多累啊，我寧願騰出時間去幹點別的事。對經典的態度，應該是理性的、多元的和全方位的，我最不希望歸結到文化一元論上。有一種聲音說，傳統文化要回歸，就說儒家思想是最好的，那不就是回到獨尊儒術的時候了嗎？或者又有一種聲音說，儒家有什麼好？阻礙了整個社會的進步，只有打垮它，才能讓西方所有先進的民主科學進來，那不是又回到砸爛孔家店的時候了嗎？人的物質口味可以是多元的，精神文化源頭爲什麼只能是一元的呢？儒家和道家是中國人生命的兩岸，缺一不行。

我現在想做的事，是想透過這種講解傳遞一種態度：文化應該多元，每個人都應該用生命去感悟。過去的人們，從來沒有面臨過今天這麼多挑戰，面臨過這麼多選擇，講儒講道，就是希望使我們的生命能更寬闊些。

卷八

他勾動歷史的天雷地火

側寫易中天

江迅／採訪撰文

「我講歷史的方式可以總結成四句話：以故事說人物，以人物說歷史，以歷史說文化，以文化說人性，最後落腳在人性上。」

自稱「一等爸爸、二等丈夫、三等教授」的易中天，出名後就失去了原有的寧靜生活。半夜十二點會有記者打電話要求聯繫採訪，原來的手機不能用了，只能關機或者轉到祕書台。他夫人李華改行當了他的祕書：「你好，哪位？他不在。」即使他在家，也不接電話。一天，他與太太去看電影，爲了避開人群，特意選了早場。戲院裡只有六七個觀眾，其中竟然有四人認出他，與他打招呼。他現在很難陪妻子出去逛街、買東西：「我基本上沒有私人空間了，戴墨鏡出門也沒有用。」

易中天被譽爲「麻辣教授」。在學校，學生都喜歡聽易中天的課，三百人的大教室，提前半小時去，門口就圍了裡三層外三層。易中天上課，沒有人會打瞌睡。他妙語連珠，說到高興的時候，還會給大家唱歌；講戲劇興起，他會給大家演一段。他在中央電視台《百家講壇》「正說」歷史時，尋找通俗化的路子，引經據典，卻又通俗易懂，趣味盎然，被稱爲「俗能俗得有品，精能精得出油」。年近六十卻突然出了大名，對此，易中天保持著一份難得的冷靜與從容。他說：「如果有一天觀眾不喜歡我這樣講，那很簡單，可以用遙控器來投票，我也會自動下台。」

百家講壇「壇主」

在中國大陸電視台上紅火的首位學者明星可算余秋雨，如今，這位文化人成了眾多電視媒體追逐的對象，有了他就有收視熱點。近年來，一批學者型明星陸續在電視上崛起，在《百家講壇》、《文化中國》等熱門節目中成了名。其中，紀連海是北京師大二附中的歷史老師；劉心武在電視上講《紅樓夢》，轟動程度超過了他當年發表小說《班主任》；閻崇年研究了一輩子清史，學術專著、論文頗豐，但他走入千家萬戶還是在電視上講《清十二帝疑案》。他們在電視上引經據典，風趣幽默地講述歷史，顛覆一些電視劇中的歷史形象。

隨著收視率一路走高，這些學者明星也各自擁有自己的「粉絲」。百度網站裡有個「易中天吧」，還有人建立了好多個關於易中天的QQ群，易中天迷自稱「意粉」（易粉）、「乙醚」（易迷），帖子幾乎都是他們對講座的觀後交流。有「意粉」與「乙醚」發起了「如果《百家講壇》競選壇主，你選誰」的問卷調查，從跟帖上看，答案幾乎無一例外都是易中天。

易中天認爲，學者成爲電視明星並擁有「追星族」是好現象，是一種「深刻的娛樂」，隨著「品讀」類讀物成爲熱點，百姓感覺讀書不是遙遠的事，這是全民閱讀的前提。

學術可討論，風格我保留

多年來，中國大陸一直缺乏治學嚴謹的學者致力於經典普及的工作，易中天和于丹的崛起，顯然是兩人和《百家講壇》節目敏感地發現了大眾傳播的巨大功能，並善加利用了這種功能。他們找出了一條聯繫高深學問與平民百姓之間的通道。在民間，人們對傳統經典的追逐，隨著經濟的發展而不斷加溫，這是一種出於本能對自身傳統的回歸。由於無法從主渠道獲得滿足，於是就出現了爭相讀易中天、于丹的現象，他倆也因而成了久旱的甘露。

成爲一種現象，就會被人說長道短。于丹和易中天走紅後，各種評價蜂擁而來。對於反面的聲音，于丹總是既低調又謙虛。易中天卻不。在觀眾面前，易中天會很直接地表示自己的驕傲和對別人的不滿，在媒體面前也一樣。他說：「于丹看待批評，是三鞠躬一握手，我沒有她那麼好的脾氣。我不介意批評，但對於有的媒體挑事，我也不怕。我只求媒體能公平客觀，這輩子不公平待遇讓我積攢了十幾年的怨氣，誰撞到槍口上，我當然要發洩一下。」

易中天講歷史的方式也引來鋪天蓋地的指責聲。傳媒常常問他對指責的回應，他被問得煩了，乾脆提出三原則：指出演講內容中的硬傷則立即改正；學術問題從長計議；講述方式不爭論。特別是第三條，對於他在《百家講壇》裡的講述方式，他覺得沒有必要爭論，不喜歡的話，最好辦法就是不看，何必要義憤塡膺。

趣說代替正說與戲說

易中天曾說：「我講歷史的方式可以總結成四句話：以故事說人物，以人物說歷史，以歷史說文化，以文化說人性，最後落腳在人性上。」他認爲，對歷史有多種說法，最常規的是「正說」，最流行的是「戲說」，「正說」難懂而乏味，「戲說」好看又有趣，「真實的不好看，好看的不眞實」，這就產生了矛盾。他認爲解決這一矛盾的方法就是「趣說」，就是既有歷史眞相，又有文學趣味。

易中天還說：「應該有一些人來向大眾負責，但這種負責不是用『普及』能概括的，我從來不使用『普及』這詞，『普及』是只要把理論變得通俗易懂就行，事實沒有那麼簡單。我用的是『品讀』，『品讀』就是對歷史人物和事件背後的人性的解讀。我以前出版過『品讀中國』書系，有《品人錄》、《讀城記》等，還有《易中天品讀漢代風雲人物》。『品讀』比『普及』重要多了，『品讀』要品味，要閱讀，尋找書中能給現代人啓迪的東西。」

易中天講究幽默風趣的講課方式。「民間把關羽奉爲財神，什麼民營企業啊，個體戶啊，家家供個關羽當財神，這說明什麼？難道他們的錢是靠打架搶來的？」「劉邦在多年征戰中風餐露宿得個風濕性關節炎啦，那倒也是可能的。」「諸葛亮一看，管他呢，叫幾個老兵掃地，把城門打開，再叫兩個小孩在他身邊，他自己呢，抱著琴上城樓唱卡拉OK去了。」「劉備對諸葛亮的好，好到讓關羽和張飛覺得，就像老鼠愛大米。」易中天的講座裡充滿了類似的現代語詞和俏皮話，儘管他常常會用一般學術講座所忌諱的插科打諢、無厘頭的搞笑語言，觀眾並不覺其淺薄，反而認爲講座別開生面，是一場「聽覺的盛宴」。

【附錄一】

易中天幽默語錄

1 晴雯又沒和賈寶玉「那個」，和寶玉「那個」的是襲人！

2 諾，相當於現在的ＯＫ。

3 然後韓信就和那個南昌亭長絕交了！不跟他玩了！

4 我被你僱用了，我是忠心耿耿給你謀畫，如果我的主意你不聽，掰掰，我換一個老闆。

5 這麼多人你不追，偏去追那個韓……什麼信的！

6 不要以爲彎下膝蓋就是懦夫，別人惹你一下，你就一下撲上去，一口咬住，死死不放，這是什麼，螃蟹！

7 劉邦對蕭何說：「他媽的，你小子跑哪去了？」

8 晁錯這個時候應該怎麼樣呢？應該夾起尾巴做人。他不！今天改革，明天變法，像根攪屎棍子，攪得朝廷上下是不得安寧。

9 哪有大俠用斧頭、或者是兩把鐵錘的（作企鵝狀），這不成體統，所以說劍是很高貴的。

10 項羽眞是太有人情味了，太招女孩子愛了，恐怕那時的女孩子嫁人要嫁項羽這樣的。

11 曹操身材短小，估計也就和我差不多吧。跟一米八四的諸葛亮比起來，只能算是不合格的殘次品。

12 曹操是喜歡美女的，他不管走到哪裡都喜歡「摟草打兔子」，收編一些美女什麼的！

13 （曹操勸老婆回家）寶貝，你回來吧，好不好？別鬧了，跟我回去吧……

14 曹操對各路諸侯說：「現在是滅董卓的最好時機——董卓已經把洛陽燒掉了，還劫持了皇帝，基本可以把他定位爲恐怖組織了。」

15 呂布想：曹操這個賊，狡猾狡猾地！

16 袁紹整天在家裡面大會賓客，用現在的話說就是辦沙龍，開Party，車水馬龍，門庭若市。這個事情當時就引起了當局的注意。

17 袁術以爲皇帝的稱號就像現在我們市場經濟條件下的商標一樣，要搶先註冊，他以爲他搶先註冊了皇帝的商標，別人就不能把他怎麼了，沒想到他反而成了眾矢之的。

18 袁尚、袁熙哥倆一合計：「咱們請公孫康那小子喝酒，在酒席上就把他給做了！」這邊公孫康也合計：「不如我請他們哥倆來喝酒，在酒席上就把他倆給做了！」結果是公孫康把那倆給做了！

19 劉備幹逃跑這事還是很在行的。他就像海輪上的老鼠，好像總是能第一個察覺到哪一艘船會翻掉，先是跟著公孫瓚打袁紹，然後又跟著曹操打呂布，又跟著袁紹打曹操。

20那時候江東的老百姓都稱孫策爲「孫郎」，稱周瑜爲「周郎」。郎，就是小夥子，有讚美的意思。所以，「孫郎」就是「孫帥哥」，「周郎」就是「周帥哥」。帥哥都是喜歡美眉的，所以孫策和周瑜分別娶到了當時最漂亮的兩個女孩子，可以說這時的周瑜是戰場、官場、情場，場場得意。反正我是很羨慕！

21順便說一句，蔣幹這個人也是被冤枉的——他根本就沒盜過什麼書，長得也不醜，而且也是一位帥哥，因爲周瑜是帥哥嘛，帥哥的朋友一般也是帥哥。

22所謂的空城計也是編出來的：諸葛亮搬個琴，擺個香爐，召兩個小孩子，在城樓上唱卡拉ＯＫ！

【附錄二】

于丹智慧語錄

1 我們的眼睛，總是看外界太多，看心靈太少。

2 《論語》的眞諦，就是告訴大家，怎麼樣才能過上我們心靈所需要的那種快樂的生活。

3 孔夫子能夠教給我們的快樂祕訣，就是如何去找到你內心的安寧。

4 人人都希望過上幸福快樂的生活，而幸福快樂只是一種感覺，與貧富無關，同內心相連。

5 懷著樂觀和積極的心態，把握好與人交往的分寸，讓自己成爲一個使他人快樂的人，讓自己快樂的心成爲陽光般的能源，去輻射他人，溫暖他人，讓家人、朋友乃至於更廣闊的社會，從自己身上獲得一點欣慰的理由。

6 關愛別人，就是仁慈；了解別人，就是智慧。

7 沒有道德約束的勇敢，是世界上最大的災害。

8 悟是一個漫長的過程，不斷地參悟、歷練，就是你心中有一種儀式。

9 在我看來，莊子也罷，孔子也罷，所有作用於生命個體的古聖先賢學說，就只有一個目的，就是最大程度地提升人的幸福感，只要你的內心覺得你是清醒的、充盈的，你有幸福感，那我就覺得這就是先賢的一種意義了。

10 中國一直以和諧爲美，而眞正的和諧是什麼？就是在堅持不同聲音、不同觀點的前提下，對於他人的一種寬容、一種融入。其實這就是君子之道。

11 眞正的文化經典，都是那種可以無比深刻，但也可以無比簡單的東西，深刻是它的精神內涵，簡單是它的表面形式。簡單與深刻有時並不矛盾。

12 在傳播學上有一個原則，就是你要永遠保持它那種特別簡單甚至是傻傻的、笨笨的樣子，這才易傳播，你把它整得特別深邃的話，就傳不出去了。再傳播的前提就是使它簡單、「傻瓜」。

13 評估一個國家是不是眞正富強，不能單純看國民生產總值的絕對量和增長速度，更要看每一個老百姓內心的感受——他覺得安全嗎？他快樂嗎？他對他的生活眞正有認同嗎？

14 我喜歡把生活分成兩個層面：生命層面，生存層面，而且年紀越大越能分得清了。所謂生命層面，就是自己的內心要有所執守的東西；而所謂生存層面，就是你在現實中建功立業的東西。

15 一個人，在你年輕的時候，你有責任把你的知識轉化爲生產力，你不能說在你年輕的時候一個人就逍遙去了。其實，年輕時不入世，會讓人沒有一種價值實現感，而且你也挺不負責任的。

16 人生其實就是木桶效應，你永遠不要追問你哪塊最高板——你什麼地方更優秀，而是你最低的板最該去考慮。

17 一個人的生活完全是可以由態度來改變的。一個人先天的性格、後天的機遇、固有的價值觀，最終會決定自己的命運。

18 我們經常說，命運這個東西太客觀了，完全依附於機遇。其實，你自己有什麼樣的價值觀，就會決定你的取捨。

19 我們需要一種清明的理性。這種理性是在這個嘈雜的物化世界中拯救生命的一種力量。同時，我們也需要一種歡欣的感性。這種感性之心可以使我們觸目生春，所及之處充滿了歡樂。

20 今天我們都在說避免資源的浪費，卻忽視了心靈的荒蕪和自身生命能量的浪費。

21 我們今天的生活中，有太多人應對挑戰的時候，感到失去了心理的平衡，那是因爲世界在動，而你不動。

22 子曰：「不在其位，不謀其政。」也就是說，你在什麼位置上，要做好本分，不要越俎代庖，跳過你的職位去做不該你做的事。這是當代社會特別應該提倡的一種職業化的工作態度。

23 禪宗有這樣一句話，叫做「眼內有塵三界窄，心頭無事一床寬」。眼睛裡要是有事，心中就有事，人就會看得「三界窄」。三界是什麼？前生，此際，來世。只要你眼裡的事化不開，心裡成天牽掛著，你就會把前生來世、上輩子下輩子都抵押進去。但是，如果你胸懷開朗，心頭無事，用不著擁有多大的地盤，坐在自家的床上，你都會覺得天地無比寬闊。

24 我們今天常常說，人生要少走彎路。其實，從某種意義上講，人生沒有彎路可言。如果你沒有走過那一段路程，怎麼能抵達到現在？如果不站在現在，你怎麼能回頭去看，說那是彎路呢？

25 人生的每一條路都是你必須要用自己的腳步去丈量的。而在這個過程中，讓我們發現自己並且得到了確認。

26 世俗的評判標準，未必眞的能評價一個人的眞正質量。只有我們的內心能做出準確的回答。

27 一個人的視力本有兩種功能：一個是向外去，無限寬廣地拓展世界；另一個是向內來，無限深刻地去發現內心。

INK PUBLISHING 文學叢書 183

經典，可以這樣讀

作　　者　于　丹　易中天
總 編 輯　初安民
責任編輯　張紫蘭
美術編輯　許秋山
校　　對　吳美滿　張紫蘭

發 行 人　張書銘
出　　版　INK印刻出版有限公司
台北縣中和市中正路800號13樓之3
電話：02-22281626
傳真：02-22281598
e-mail : ink.book@msa.hinet.net
網　　址　舒讀網http ://www.sudu.cc

法律顧問　漢廷法律事務所
劉大正律師
總 代 理　展智文化事業股份有限公司
電話：02-22533362・22535856
傳真：02-22518350
郵政劃撥　19000691 成陽出版股份有限公司
印　　刷　海王印刷事業股份有限公司

出版日期　2008年2月　初版
ISBN　978-986-6873-66-9

定價　240元

國家圖書館出版品預行編目資料

經典，可以這樣讀：
于丹・易中天演講對談錄／于丹、易中天著；
--初版，--臺北縣中和市：INK印刻，
2008.02面；　公分（文學叢書；183）
ISBN 978-986-6873-66-9（平裝）
1.言論集　2.中國哲學　3.歷史
073　97000729

INK INK INK INK INK INK
NK INK INK INK INK INK IN
INK INK INK INK INK INK
NK INK INK INK INK INK IN
INK INK INK INK INK INK
NK INK INK INK INK INK IN
INK INK INK INK INK INK
NK INK INK INK INK INK IN
INK INK INK INK INK INK
NK INK INK INK INK INK IN
INK INK INK INK INK INK
NK INK INK INK INK INK IN
INK INK INK INK INK INK
NK INK INK INK INK INK IN
INK INK INK INK INK INK
NK INK INK INK INK INK IN
INK INK INK INK INK INK
NK INK INK INK INK INK IN
INK INK INK INK INK INK
NK INK INK INK INK INK IN